Prince Noir

Un livre DORLING KINDERSLEY

VERSION ABRÉGÉE

Cet ouvrage est l'adaptation française
de **Black Beauty**,
publié par Dorling Kindersley

Adaptation française
Agence Media
Traductrice : Josette Gontier
Conseiller à la rédaction : Michel Tranier
Lecture-correction : Élisabeth Le Saux
Montage PAO : Marie-Hélène Matéos

L'ouvrage a été réalisé sous la direction de l'équipe éditoriale
de Sélection du Reader's Digest
Direction éditoriale : Gérard Chenuet
Responsables de l'ouvrage : Philippe Leclerc, Caroline Lozano
Lecture-correction : Catherine Decayeux
Fabrication : Frédéric Pecqueux

ÉDITION ORIGINALE
Dorling Kindersley Limited, 9 Henrietta Street, London WC2E 8PS
Tous droits moraux de l'auteur réservés
© 1998 Dorling Kindersley Limited, London
© 1998 Julia and Derek Parker pour les textes

ÉDITION FRANÇAISE
© 1998 Sélection du Reader's Digest, SA,
212, boulevard Saint-Germain, 75007 Paris
© 1998 Sélection du Reader's Digest, SA,
29, quai du Hainaut, 1080 Bruxelles
© 1998 Sélection du Reader's Digest (Canada), Limitée
215, avenue Redfern, Montréal, Québec H3Z 2V9
© 1998 Sélection du Reader's Digest, SA,
Räffelstrasse 11, « Gallushof », 8021 Zurich

ISBN : 2-7098-0971-0

LA BIBLIOTHÈQUE DES CLASSIQUES

Prince Noir

D'APRÈS ANNA SEWELL

Illustré par
VICTOR AMBRUS

Sélection
du Reader's Digest

PARIS • BRUXELLES • MONTRÉAL • ZURICH

SOMMAIRE

INTRODUCTION 6

Chapitre premier
MA PREMIÈRE MAISON 8

Chapitre 2
BIRTWICK PARK 14

Chapitre 3
AU RELAIS 18

Chapitre 4
LE NOUVEAU PALEFRENIER 22

Chapitre 5
LA SÉPARATION 28

Chapitre 6
EARLSHALL 30

À LA CAMPAGNE 32

Prince noir   *Ginger*   *Merrylegs*   *James le palefrenier*   *John Manly*

Le louage 39

Chapitre 7
VENDU À NOUVEAU 40

À LA FOIRE 43

Chapitre 8
CHEVAL DE FIACRE 44

Le Londres victorien 54

Chapitre 9
DES TEMPS DIFFICILES 56

Chapitre 10
MA DERNIÈRE MAISON 60

ANNA SEWELL 62

Joe Green   *Reuben Smith*   *Alfred Smirk*   *Jerry Barker*   *Capitaine*   *Nicholas Skinner*

INTRODUCTION

Lorsque *Black Beauty (Prince noir)* fut publié pour la première fois, en 1877, la page de titre portait ces mots : « Prince noir, ses valets d'écurie et ses compagnons. Autobiographie d'un cheval, traduite de la langue équine par Anna Sewell. » En prétendant qu'elle avait juste traduit un texte écrit par un cheval, l'auteur (Anna Sewell) pouvait naturellement adopter le point de vue de l'animal. Cela lui permettait surtout de montrer combien les chevaux étaient dépendants des hommes, des bons comme des mauvais. À l'époque de Prince noir, les chevaux n'étaient en effet considérés que comme des machines servant à porter l'homme, à tirer des charrettes, des fiacres ou d'autres véhicules.

Les temps ont changé. Aujourd'hui, les voitures, les autobus, les trains… ont remplacé les chevaux comme moyens de transport et, lorsque nous avons besoin d'un médecin, il nous suffit de lui téléphoner : il est inutile d'envoyer un cavalier pour aller le chercher. Aussi n'avons-nous plus – ou avons-nous moins – l'occasion de nous montrer cruels envers les chevaux.

L'histoire de Prince noir, ainsi que les photographies et commentaires qui l'accompagnent, vous fera découvrir la vie quotidienne des chevaux autrefois. Mais vous apprendrez également à mieux connaître l'animal : son mode de vie, son alimentation, son comportement… Et vous comprendrez pourquoi, si le cheval n'a plus aujourd'hui auprès de l'homme le rôle qui était le sien hier, il demeure, par-delà le temps et les progrès techniques, son plus bel ami.

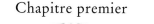

Chapitre premier

Ma première maison

LE PREMIER LIEU dont je me souviens est une vaste prairie. D'un côté s'étendait un champ labouré ; de l'autre, nous apercevions le portail de la maison de notre maître. Le haut de la prairie était bordé de sapins et, en bas, coulait un ruisseau.

Notre maître était un homme aimable et bon. Il nous traitait bien, nous logeait tout aussi bien et nous comblait de mots gentils.

Tout petit, je me nourrissais du lait de ma mère. Le jour, je courais à ses côtés. La nuit, je m'étendais contre elle. Dès que je fus assez grand pour me débrouiller seul, ma mère reprit l'habitude d'aller travailler pendant la journée et de revenir à la nuit.

Les autres poulains qui vivaient dans la prairie étaient plus âgés que moi. Je passais mon temps à jouer avec eux. Nous galopions tous ensemble autour du champ à perdre haleine. Quelquefois, pour jouer, nous nous mordions ou nous donnions des coups de pied. Mais un jour, après m'avoir rappelé à l'ordre, ma mère me dit : « Sais-tu que nous sommes des chevaux de race ? Le renom de ton père s'étend bien loin à la ronde et ton grand-père a gagné une coupe aux courses de Newmarket. Ta grand-mère avait le tempérament le plus doux qu'on ait connu, et je ne pense pas que tu m'aies déjà vu donner un coup de pied ou mordre. J'espère que tu deviendras un gentil cheval, que tu n'apprendras jamais de mauvaises manières et que tu feras ton travail de bon cœur. Lève bien haut les sabots quand tu trottes, ne mords pas et ne donne jamais de coups de pied, même par jeu. »

Je n'ai pas oublié les conseils de ma mère. Je savais que c'était une jument pleine de sagesse et que notre maître avait de l'estime pour elle. Bien que son vrai nom fût Duchesse, il l'appelait souvent Doucette.

Newmarket
« Ton grand-père a gagné une coupe aux courses de Newmarket. » Pendant plusieurs siècles, Newmarket fut le principal centre hippique de Grande-Bretagne. Les chevaux de course étaient obligatoirement des chevaux de race.

Nous galopions tous ensemble autour du champ à perdre haleine.

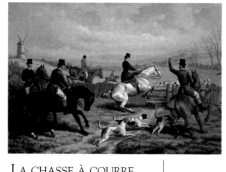

LA CHASSE À COURRE
La chasse à courre était très prisée par les gens riches, qui chassaient surtout le renard et le lièvre. Ce sport est encore pratiqué, mais beaucoup de gens le désapprouvent à cause de sa cruauté.

J'avais deux ans lorsque survint un événement que je n'ai jamais oublié. J'étais avec les autres poulains en train de paître dans le bas de la prairie, lorsque nous entendîmes au loin des aboiements furieux. Le plus âgé d'entre nous releva la tête, dressa les oreilles et dit : « C'est la meute ! » Puis il partit au petit galop et nous le suivîmes vers le haut du pré. Ma mère paraissait savoir de quoi il s'agissait.

C'est alors qu'un lièvre passa à toute allure, l'air terrorisé. Les chiens qui étaient à ses trousses bondirent par-dessus le talus,

C'est alors qu'un lièvre passa à toute allure, l'air terrorisé.

sautèrent le ruisseau et se précipitèrent dans le pré, suivis par les chasseurs. Six ou huit hommes firent franchir le ruisseau à leurs chevaux, juste derrière les chiens. Le lièvre tenta de traverser la haie, mais il était trop tard : les chiens étaient sur lui ! En sautant, deux beaux chevaux, un brun et un noir, étaient tombés ; le premier se débattait dans le ruisseau et le second gémissait dans l'herbe. L'un des cavaliers sortit de l'eau couvert de boue, l'autre resta immobile sur le sol.

« Il s'est brisé le cou », dit ma mère.

Mon maître fut le premier aux côtés du jeune homme. On le transporta jusqu'à la maison. J'appris par la suite qu'il s'agissait de George Gordon, le fils unique du châtelain, qui faisait l'orgueil de sa famille.

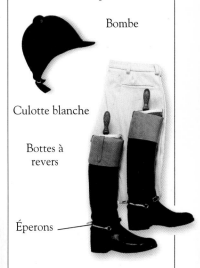

Tenue de chasse
Les hommes portent des vestes rouges et des culottes blanches, les femmes, des vestes noires et des culottes de peau.

Bombe

Culotte blanche

Bottes à revers

Éperons

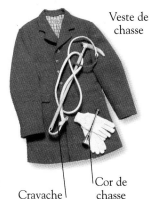

Veste de chasse

Cravache   Cor de chasse

Quant au cheval noir, il avait une patte cassée. Quelqu'un partit aussitôt chercher un fusil. Il y eut une détonation suivie d'un hurlement, puis le calme revint. L'animal ne bougeait plus. Ma mère paraissait très triste. Elle nous dit que le cheval s'appelait Rob Roy, qu'elle le connaissait et qu'il avait très bon caractère. Par la suite, elle ne voulut plus jamais retourner dans cette partie du champ. J'appris plus tard que Rob Roy était le fils de Duchesse, donc mon frère aîné. On croit toujours que les chevaux n'ont pas de famille. Et pourtant…

Chiens de chasse
Les foxhounds sont destinés à poursuivre les renards, tandis que les harriers chassent les lièvres. Ils ressemblent aux foxhounds, mais ils sont plus petits.

Foxhounds

FAIRE OBÉIR LE CHEVAL
Quand un poulain est débourré, on lui met une selle, un mors et une bride et il peut alors être monté.

La bride
Le cavalier dirige son cheval au moyen d'une bride.

Rêne

Mors

Le mors
Attaché aux rênes, il est placé dans la bouche du cheval, par-dessus sa langue.

La selle
Elle répartit le poids du cavalier sur le dos du cheval et empêche la colonne vertébrale de l'animal de gêner le cavalier.

J'étais un très beau cheval. Ma robe était fine et soyeuse, d'un noir brillant. J'avais un pied blanc, et une étoile blanche ornait mon front. Mon maître n'avait pas l'intention de me vendre avant mes quatre ans. Il disait que les garçons ne devaient pas travailler comme des hommes, ni les poulains comme des chevaux avant d'avoir atteint l'âge adulte. Lorsque j'eus quatre ans, donc, sir Gordon vint me voir. Il examina mes yeux, ma bouche et mes jambes. Puis il me fallut marcher, trotter et galoper devant lui.

J'avais l'air de lui plaire, car il dit : «Une fois dressé, il sera parfait ! »

Tout le monde ne sait peut-être pas en quoi consiste le dressage, aussi vais-je l'expliquer. Dresser un cheval signifie lui apprendre à porter une selle et une bride, puis un homme, une femme ou un enfant sur son dos. Le cheval doit également apprendre à porter un collier, puis à être attaché à une carriole. Il ne doit jamais mordre, ni donner des coups de pied, ni avoir aucun désir propre, il doit toujours agir selon la volonté de son maître, même s'il est épuisé ou affamé. Une fois le harnais installé, il ne doit ni sauter de joie ni se coucher pour se reposer.

On m'avait habitué depuis longtemps à porter un licou et à être conduit dans les prés et sur les chemins. À présent, j'allais devoir porter un mors et une bride. Mon maître me donna de l'avoine et, après moult câlineries, il réussit à me placer le mors dans la bouche. Quelle horreur ! Un morceau d'acier froid et dur, mis de force dans la bouche ! Vint ensuite le tour de la selle. Mon maître me la posa sur le dos avec douceur, sans cesser de me donner des petites tapes et de me parler. Puis, un matin, il monta sur mon dos et me fit faire le tour de la prairie. C'est étrange, mais porter mon maître me fit éprouver un sentiment de fierté.

Un autre désagrément m'attendait : les fers. Quand ils furent posés, mes pieds me semblèrent raides et lourds, mais, avec le temps, je m'y fis.

Un autre désagrément m'attendait : les fers.

Pour compléter mon dressage, mon maître m'envoya dans une ferme des environs. Juste à côté passait une voie ferrée. Je n'oublierai jamais le premier train qui passa. J'entendis au loin un bruit étrange, puis, dans un fracas assourdissant et un nuage de fumée, surgit un long train noir qui disparut avant que je puisse reprendre mon souffle.

Les jours suivants, je ne parvins pas à brouter en paix, mais, lorsque je compris que cette terrible créature de métal ne me ferait aucun mal, je finis par ne plus en tenir compte.

Mon maître m'attelait souvent avec ma mère. Elle me répétait que plus je serais docile, mieux je serais traité. « Il y a plusieurs sortes d'hommes, disait-elle. Des gentils comme notre maître, et des cruels, qui ne devraient jamais posséder un cheval. J'espère que tu tomberas entre de bonnes mains. »

Au temps de la vapeur
Les premiers trains étaient tirés par des chevaux. Ils furent petit à petit remplacés par des trains à vapeur, beaucoup plus puissants et plus rapides.

Mon maître m'attelait souvent avec ma mère.

Chapitre 2

BIRTWICK PARK

UN BON PANSAGE

Panser un cheval signifie faire sa toilette. Prince noir devait être pansé à peu près de la même façon que les chevaux d'aujourd'hui.

On nettoie d'abord la tête du cheval à l'aide d'un linge doux.

Avec une brosse à poils durs, appelée étrille, on enlève la boue et la saleté en surface.

Avec une brosse plus douce, on brosse le poil en profondeur.

Enfin, on démêle les nœuds de la queue avec les doigts puis on la brosse.

AU DÉBUT du mois de mai, un homme vint me chercher pour m'emmener à Birtwick Park, la propriété de sir Gordon. « Au revoir, me dit mon maître. Sois un bon cheval et fais toujours de ton mieux. » Je posai mon nez dans sa main. Il me donna quelques tapes affectueuses, puis je quittai ma première maison.

Les écuries de Birwick Park pouvaient loger plusieurs chevaux et équipages. Dans la stalle voisine de la mienne se tenait un poney gris au petit nez mutin appelé Merrylegs, et de l'autre côté une grande jument alezane au long cou élégant du nom de Ginger. Ses oreilles étaient rabattues en arrière et elle avait l'air plutôt grincheux. Elle m'interrogea sur mon dressage.

« Si j'avais été dressée comme toi, me dit-elle, j'aurais sûrement bon caractère. Mais mon vieux maître a confié ce soin à son fils, qui est un homme très dur. Heureusement, John Manly lui a dit un jour : "Prends-la avec douceur." Je n'ai jamais mordu John, et je ne le mordrai jamais. »

John Manly, c'était le palefrenier. Le lendemain matin, il me pansa longuement jusqu'à ce que ma robe soit douce et brillante. Puis il me fit aller au pas, au trot et enfin au petit galop ; lorsque nous fûmes sur le terrain communal, il amorça un splendide galop.

Sur le chemin du retour, nous rencontrâmes sir Gordon et sa femme qui se promenaient.

« Eh bien, John, comment se comporte-t-il ?

– Magnifiquement, monsieur ! répondit John. Il est aussi rapide qu'un chevreuil, il a du tempérament, et le plus léger coup de rênes suffit à le guider. »

Le lendemain, c'est mon maître qui me monta. Je me souvins des conseils de ma mère et m'efforçai de faire exactement ce qu'il voulait. C'était un bon cavalier, attentionné de surcroît. À notre retour, la maîtresse de maison se tenait sur le perron.

« Eh bien, mon cher, demanda-t-elle, comment le trouvez-vous ?

– Je crois que je ne pouvais espérer mieux, répondit-il. Comment allons-nous l'appeler ?

– Il a vraiment fière allure. Si nous l'appelions Prince noir ? »

Ma nouvelle maison me plaisait. John s'occupait bien de moi. Il semblait savoir exactement ce que ressentait un cheval, et, lorsqu'il me pansait, il connaissait les endroits les plus tendres, les plus chatouilleux. Un jour, je tirai la voiture de maître avec Ginger, et nous devînmes amis.

Que pouvais-je désirer de plus ? La liberté ! À présent, j'étais adulte et je devais passer mes jours et mes nuits dans une écurie, excepté lorsqu'on avait besoin de moi. Mais quel bonheur quand on nous conduisait dans le vieux verger, où l'herbe était fraîche et douce sous les pieds !

Râtelier

Matériel de pansage

Une stalle à l'époque victorienne
Les écuries étaient divisées en stalles. Les chevaux étaient attachés, et il fallait les sortir chaque jour pour qu'ils prennent de l'exercice.

Dans la stalle voisine de la mienne se tenait un poney gris et de l'autre côté une grande jument alezane.

De grandes roues permettaient
à la voiture d'aller vite.

Dog-cart
*À l'origine, cette voiture
légère était conçue pour
transporter les chiens
à la chasse ou aux courses.
Les chiens étaient placés
sous le siège.*

*Au moment de m'engager sur
le pont, j'eus le pressentiment
d'un danger.*

Un jour d'automne, mon maître dut s'absenter pour affaires.
John l'accompagna. Je fus attelé au dog-cart, une voiture légère avec
de grandes roues. Il avait beaucoup plu et le vent soufflait très fort,
mais nous avançâmes sans problème jusqu'au pont de bois.
Là, le gardien du pont nous dit que la rivière montait vite
et qu'il craignait que la nuit ne soit mauvaise.

Nous arrivâmes en ville, où mon maître fut retenu plus longtemps
que prévu, si bien que nous ne repartîmes que tard dans l'après-midi.
Le vent était alors beaucoup plus violent. Nous longions un bois
quand soudain il y eut un grondement, suivi d'un craquement :
un chêne tomba avec fracas au beau milieu de la route, à quelques
mètres de nous. Je me mis à trembler de tous mes membres, mais
je ne fis pas demi-tour et ne tentai pas de prendre la fuite.

« Nous l'avons échappé belle ! » dit mon maître.

Et nous reprîmes notre route.

Nous allions à bonne allure, mais, au moment de m'engager sur le pont, j'eus le pressentiment d'un danger. Je m'arrêtai pile.

« Avance, Prince », dit mon maître, mais je ne bougeai pas.

« Il y a quelque chose qui ne va pas, dit John en sautant du dog-cart pour essayer de me faire avancer. Viens, Prince ! Que se passe-t-il ? »

Bien entendu, je ne pouvais le lui dire, mais je savais très bien que le pont n'était pas en bon état.

Juste à cet instant, le gardien du pont arriva en courant.

« Arrêtez-vous ! cria-t-il. Le pont s'est cassé en plein milieu. Si vous continuez, vous allez tomber dans la rivière.

– Merci, Prince ! » dit John. Il me prit par la bride et, doucement, me fit faire demi-tour vers la route.

Pendant un long moment, ni mon maître ni John ne prononcèrent un mot, puis tout à coup mon maître se mit à parler d'une voix empreinte de gravité :

« Dieu a donné à l'homme la raison, qui lui permet de découvrir les choses, dit-il, mais il a donné aux animaux la connaissance, qui ne dépend pas de la raison et qui est beaucoup plus rapide et plus parfaite. »

LES SENS DU CHEVAL
Grâce à leurs sens très développés, les chevaux montrent parfois une étrange capacité à pressentir le danger.

Se cabrer
Le cheval se cabre quand quelque chose ne va pas. Il le fait aussi par jeu, ou encore pour montrer qu'il est en position dominante.

Ouïe
Les chevaux ont l'ouïe fine. Ils orientent leurs oreilles dans la direction des bruits.

Il écoute les sons venant de l'arrière.

Il écoute les sons provenant de l'avant et de l'arrière.

Il écoute les sons venant de l'avant.

Toucher
Les chevaux ont un sens aigu du toucher. Si une mouche se pose sur leur dos, ils la chassent aussitôt d'un coup de queue.

LE GÎTE
ET LE COUVERT
*Les relais
fournissaient
aux voyageurs
et à leur monture
de la nourriture
et un abri pour
la nuit.*

Enseigne
d'auberge

Les hôtes arrivent au relais.

Le relais

*Les habitants de la région
y travaillaient comme
domestiques, cuisiniers,
garçons de salle et
palefreniers. Des bals étaient
aussi organisés dans la salle
des fêtes.*

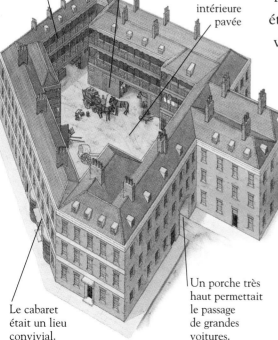

Chambres
d'hôtes

Écuries

Cour
intérieure
pavée

Le cabaret
était un lieu
convivial.

Un porche très
haut permettait
le passage
de grandes
voitures.

Chapitre 3

Au relais

UN MATIN, AU DÉBUT DU MOIS DE DÉCEMBRE, mon
maître reçut une lettre de son beau-frère. Celui-ci lui
disait qu'il était à la recherche d'un jeune palefrenier
digne de confiance.

« Je ne connais pas de garçon plus sérieux et plus honnête que
James, dit John Manly. Bien qu'il n'ait pas une grande expérience,
il a la main sûre et légère et il est très appliqué. »

Peu de temps après, mon maître et ma maîtresse décidèrent
de rendre visite à des amis qui habitaient à environ deux jours
de cheval de chez nous. James fut chargé de les y conduire et
il nous attela, Ginger et moi.

Le premier jour, il y eut quelques côtes difficiles, mais James
conduisait avec prudence et guidait nos pas sur la partie la plus
praticable de la route.

Juste comme le soleil déclinait, nous atteignîmes
la ville où nous devions passer la nuit. Nous passâmes
sous un porche donnant sur une longue cour, derrière
le relais. Tout au fond se trouvaient les
étables et les remises. Deux palefreniers
vinrent nous dételer. Le valet-chef était un
petit homme vif et diligent, avec une jambe raide.

Avec une tape et un mot gentil, il me conduisit
dans une longue écurie contenant six à huit stalles
tandis que l'autre palefrenier amenait Ginger.
Jamais je n'ai vu un homme déboucler un
harnais aussi vite et jamais je n'ai été brossé
aussi légèrement et aussi rapidement que par
ce vieux monsieur. Quand il eut terminé, James
s'approcha de moi pour m'inspecter et il trouva
ma robe aussi belle que de la soie.

« Moi qui croyais être rapide, dit-il, et notre John
encore plus ! Mais vous nous battez !

– C'est en forgeant qu'on devient forgeron ! dit le palefrenier. Si après quarante ans je n'étais pas rapide, ce serait malheureux ! »

Plus tard dans la soirée, le deuxième valet amena le cheval d'un voyageur. Pendant qu'il le pansait, un jeune homme, une pipe à la bouche, vint flâner dans l'écurie pour bavarder.

« Dis donc, Towler, dit le valet, pourrais-tu monter au grenier chercher un peu de foin pour ce brave animal ? Mais auparavant pose ta pipe dans ce coin.

– Hmm », grommela Towler, et il disparut par la trappe.

Je l'entendis marcher sur le plancher, au-dessus de ma tête. James vint nous voir une dernière fois, puis la porte fut fermée à clé.

Je ne peux dire combien de temps je dormis, mais je me réveillai en suffoquant. Je me dressai sur mes pattes et, là, j'entendis Ginger qui toussait. Comme il faisait nuit, je ne voyais rien, mais je compris que l'écurie était pleine de fumée. Je pouvais à peine respirer.

La trappe était restée ouverte et

Le palefrenier
Le palefrenier était un employé du relais qui s'occupait des chevaux. Il retirait leur harnais, leur apportait de la nourriture et les pansait.

Maintenant tous les chevaux étaient réveillés : certains tiraient sur leur licou, d'autres frappaient le sol de leurs sabots.

j'entendis un bruit de course précipitée vers l'extérieur. Maintenant tous les chevaux étaient réveillés : certains tiraient sur leur licou, d'autres frappaient le sol de leurs sabots.

Bander les yeux
Quand ils ont peur, les chevaux refusent d'être guidés à la main. Les yeux bandés, ils avancent sans crainte.

J'entendis enfin des pas, dehors. Une lanterne à la main, le palefrenier qui avait amené le cheval du voyageur se précipita dans l'écurie. Il commença à détacher les chevaux et essaya de les faire sortir. Il paraissait si affolé qu'il m'effraya encore davantage. Aucun de nous ne voulait bouger. Sans doute était-ce idiot, mais nous avions tous peur. C'est alors que j'entendis crier : « Au feu ! » C'était le vieux palefrenier. Avec calme et rapidité, il fit sortir un cheval puis un autre, mais les flammes dansaient autour de la trappe et l'on entendait toujours ce grondement terrifiant au-dessus. J'entendis alors la voix de James, calme et joyeuse comme toujours. « Viens, Prince, nous serons bientôt sortis de cet enfer ! » Il me banda les yeux avec son foulard et me fit sortir de l'écurie. Une fois en sécurité dans la cour, il ôta le foulard de mes yeux et retourna

COMBATTRE LE FEU
Les pompes à incendie étaient tirées par des chevaux pommelés (gris et blanc), car ils étaient plus faciles à repérer dans la fumée ou l'obscurité.

à la hâte dans l'écurie. En le voyant partir, je poussai un hennissement perçant. Ginger me dit par la suite que j'avais bien fait car, sans cela, elle n'aurait jamais eu le courage de sortir. Un grand désordre régnait dans la cour, mais je

« Voilà les pompiers ! Écartez-vous ! »

gardais les yeux rivés
sur la porte de l'écurie, d'où
s'échappait une épaisse fumée.

L'instant d'après, je poussai un hennissement joyeux : je venais d'apercevoir James qui émergeait de la fumée en tirant Ginger.

« Mon brave gars, lui dit mon maître, es-tu blessé ? »

James secoua la tête, car il ne pouvait pas encore parler.

« Voilà les pompiers ! Écartez-vous ! » crièrent plusieurs voix tandis que deux chevaux entraient dans la cour à toute allure traînant la lourde pompe à incendie derrière eux.

Les pompiers sautèrent à terre et s'activèrent jusqu'à ce que le feu soit maîtrisé.

Le lendemain matin, James dit que deux malheureux chevaux que l'on n'avait pas réussi à faire sortir avaient péri dans l'incendie, sous les poutres et les tuiles, et que Towler avait été renvoyé.

Les pompiers
Quatre pompiers étaient de service, prêts à intervenir.

Casque

Rabat protégeant la nuque

Insigne

Clé servant à serrer les raccords et à changer les lances.

Hache de pompier

Le sommeil
*Les chevaux dorment debout.
Pour rester en équilibre,
ils bloquent certaines
articulations de leurs jambes.*

Chapitre 4

LE NOUVEAU PALEFRENIER

C'EST LE PETIT JOE GREEN qui devait remplacer James.
« Mais c'est un enfant ! s'exclama James.
– Il a quatorze ans et demi, dit John Manly. Et il est gentil, rapide, volontaire. Il fera un bon palefrenier. »

Une nuit, quelques jours après le départ de James, je fus soudainement réveillé par la cloche de l'écurie.

« Debout, Prince, c'est le moment de montrer ce dont tu es capable ! » dit John Manly. Et, avant que j'aie pu réaliser ce qui se passait, il m'avait mis la selle et passé la bride.

« Ne perds pas un instant, John, dit notre maître. La vie de ta maîtresse est en jeu. Tu donneras cette lettre au docteur White. Ensuite, tu feras reposer ton cheval à l'auberge et vous reviendrez le plus vite possible. »

*Je galopais aussi vite que mes
jambes me le permettaient.*

Nous traversâmes le parc, le village, puis un bois sombre. Je galopais aussi vite que mes jambes me le permettaient. L'air était glacé. Après avoir franchi une colline, nous arrivâmes enfin à la ville. Tout était silencieux, on n'entendait que le martèlement de mes sabots sur les pavés.

L'horloge de l'église sonnait trois heures comme nous arrivions devant la porte du docteur White. John appuya deux fois sur la sonnette, puis frappa à la porte de toutes ses forces. Une fenêtre s'ouvrit et le médecin apparut coiffé d'un bonnet de nuit :

« Que voulez-vous ?

– Mme Gordon est très malade ! Mon maître vous demande de venir tout de suite.

– Mon cheval est sorti toute la journée et il est épuisé, dit le médecin. Mon fils a pris l'autre. Puis-je me servir du vôtre ?

– Il a galopé tout le long du chemin, et je voulais qu'il prenne un peu de repos. Mais Prince noir est un cheval exceptionnel ! »

John me caressa le cou. J'avais très chaud.

« Prenez soin de lui, monsieur, dit-il. Je ne voudrais pas qu'il lui arrive quelque chose. »

Le médecin était plus lourd que John et moins bon cavalier. Cependant, je fis de mon mieux. Lorsque nous arrivâmes à hauteur de la colline, il me fit ralentir. « Reprends ton souffle, mon ami. » Ce que je fis avec soulagement, car j'étais épuisé. Je pus ainsi poursuivre ma route et nous pénétrâmes bientôt dans le parc de mon maître. Joe était au portail de la maison du gardien, et mon maître, qui nous avait entendus venir, nous attendait sur le perron. Le médecin le suivit dans la maison et Joe me conduisit à l'écurie.

Les chevaux peuvent courir à 65 km/h.

Le galop
C'est l'allure la plus rapide. Il y a un instant où aucun des pieds ne touche le sol.

Les mollets sont serrés contre les flancs du cheval.

Position du cavalier
Un bon cavalier doit être assis au milieu de la selle ; il se tient droit tout en restant détendu. La plante du pied est posée dans l'étrier.

Les médecins
Ils avaient besoin de chevaux qui soient capables de couvrir rapidement de longues distances en cas d'urgence. Ceux qui ne possédaient qu'un cheval faisaient leurs visites à pied le dimanche, afin de lui ménager un peu de repos.

Il essuya mes jambes et mon poitrail, mais il ne me mit pas ma couverture épaisse.

Courroie pour maintenir la couverture

Couverture ajustée au corps du cheval

Maintenir au chaud

Après un effort, un cheval doit être tenu au chaud. On ajuste une couverture autour de son corps pour éviter une déperdition de chaleur trop importante. On lui donne souvent une bouillie d'avoine et d'eau, facile à digérer.

J'étais heureux de rentrer à la maison. Mes jambes tremblaient et j'avais à peine la force de tenir debout. La sueur coulait le long de mes jambes et je dégageais de la vapeur de partout, « comme un chaudron sur le feu » pour reprendre le mot de Joe. Pauvre garçon ! Même s'il manquait d'expérience, je suis certain qu'il fit de son mieux.

Il essuya mes jambes et mon poitrail, mais il ne me mit pas ma couverture épaisse, sans doute parce qu'il pensait que j'avais déjà assez chaud. Puis il me donna un plein seau d'eau fraîche. Enfin, il m'apporta du foin et un peu d'avoine et, persuadé d'avoir fait ce qu'il fallait, il s'en alla.

Bientôt, je me mis à trembler et à frissonner. Mes jambes me faisaient mal, de même que ma poitrine. Que n'aurais-je fait pour avoir ma grosse couverture chaude ! J'aurais aimé que John arrive, mais il avait des kilomètres à parcourir à pied. Je m'allongeai sur la paille et essayai de dormir.

Très longtemps après, j'entendis John entrer. Je poussai un profond gémissement, car je souffrais beaucoup. En un instant, il fut à mes côtés. Je ne pouvais pas lui dire ce que je ressentais, mais il semblait le savoir. Il me couvrit avec des couvertures puis courut chercher de l'eau chaude à la maison. Ensuite, il me prépara une bouillie et me la fit boire. Alors, je dus m'endormir.

J'étais très malade. J'avais une grave inflammation des poumons et je ne pouvais respirer sans avoir mal. John me soigna nuit et jour ; mon maître vint souvent me rendre visite.

« Mon pauvre Prince, me dit-il un jour, sais-tu que tu as sauvé la vie de ta maîtresse ? »

Ces paroles me firent grand plaisir. John dit à mon maître qu'il n'avait jamais vu un cheval galoper aussi vite, comme si j'avais su ce qui se passait. Bien entendu, je le savais, quoique John ait pu penser.

J'ignore combien de temps dura ma maladie. Monsieur Bond, le vétérinaire, venait tous les jours. Un jour, il me fit une saignée ; John tenait le seau pour recueillir le sang. Après, je me sentis si faible que je crus que j'allais mourir.

Une nuit, John dut m'administrer une potion. Le père de Joe, Thomas Green, vint l'aider.

« John, tu pourrais dire un petit mot gentil à Joe, dit-il à voix basse. Ce garçon a le cœur brisé, il ne mange plus et ne sourit jamais. Il n'arrête pas de dire qu'il sait que tout est de sa faute, bien qu'il ait cru faire de son mieux.

– Je sais qu'il ne voulait pas faire de mal, déclara John. Mais je suis très contrarié. Ce cheval est ma fierté, vois-tu, et je ne peux supporter de le voir dépérir. Enfin, puisque tu penses que je suis trop dur avec ton fils, je vais tâcher de lui dire un mot gentil demain… si Prince noir va mieux.

– Parfait, John, je sais que tu ne voulais pas être trop dur et je suis content que tu aies compris qu'il s'agissait seulement d'ignorance. »

La voix de John me fit presque sursauter lorsqu'il répondit :

« Seulement d'ignorance ! Ne sais-tu donc pas que c'est la pire des choses au monde, après la méchanceté ? Et Dieu seul sait laquelle des deux fait le plus de tort. »

Je n'entendis pas un mot de plus de cette conversation, car le médicament fit son effet et je m'endormis. Le lendemain matin, je me sentais beaucoup mieux. Mais j'ai souvent repensé aux paroles de John lorsque j'ai commencé à connaître davantage le monde.

Je ne pouvais respirer sans avoir mal.

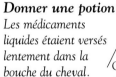

La saignée
Sur les chevaux, on pratiquait la saignée en incisant une veine du cou.

Une corde était utilisée pour relever la tête du cheval.

Donner une potion
Les médicaments liquides étaient versés lentement dans la bouche du cheval.

Corne creuse pour donner une potion

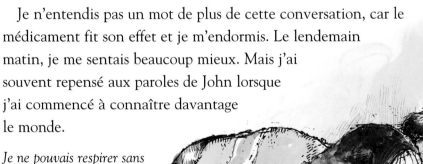

Les briques
*Les briques étaient fabriquées
dans les briqueteries, situées
dans des endroits riches en
argile. Les chevaux tiraient
de lourds chariots de briques
depuis la briqueterie jusqu'au
chantier.*

*« Mais enfin, dit Joe.
Arrêtez de fouetter ces
chevaux ! »*

Joe Green fit rapidement des progrès et John commença à lui confier de nombreuses tâches. Pourtant, il avait rarement la permission de nous promener, Ginger et moi.

Un matin où John était sorti, le maître demanda qu'on porte un message à un gentilhomme. Il ordonna à Joe de me seller et d'y aller.

Notre mission était accomplie et nous rentrions tranquillement quand, à hauteur de la briqueterie, nous aperçûmes une charrette lourdement chargée dont les roues étaient profondément embourbées. Le charretier criait et fouettait les deux chevaux sans pitié. Joe s'arrêta.

Les deux chevaux peinaient pour sortir la charrette de la boue, mais ils ne parvenaient même pas à la faire bouger. L'homme jurait et les fouettait avec encore plus de brutalité.

« Mais enfin, dit Joe. Arrêtez de fouetter ces chevaux ! Les roues sont si embourbées qu'ils ne peuvent pas faire bouger la charrette. »

L'homme fit comme s'il n'avait rien entendu. Il continua à crier et à donner du fouet.

« Je vous en prie, arrêtez ! dit Joe. Je vais vous aider à alléger votre charrette.

– Occupe-toi de tes affaires, espèce de jeune vaurien ! »

L'homme avait déjà levé son fouet. Joe me fit faire demi-tour et, l'instant d'après, nous galopions en direction de la maison du maître briquetier.

« Il y a un homme qui est en train de fouetter

Le transport des briques
S'ils ralentissaient le pas, les chevaux étaient parfois cruellement battus par le charretier.

deux chevaux à mort. Je vous en prie, monsieur, allez-y. »

Le maître briquetier s'en fut aussitôt, et nous reprîmes le chemin du retour au trot. Peu après notre arrivée, le valet de pied vint dire à Joe que le maître l'attendait dans son cabinet privé. Le charretier y avait été conduit : il était accusé d'avoir maltraité les chevaux et on souhaitait entendre Joe à ce sujet. Notre maître était l'un des magistrats de la contrée et les différends lui étaient souvent soumis.

Lorsque Joe revint dans l'écurie, je vis qu'il était de bonne humeur. Il me donna une tape affectueuse et dit : « Ce n'est pas prêt de se reproduire, tu peux me croire. » Nous apprîmes par la suite que le charretier avait été assigné en justice et qu'il risquait deux ou trois mois de prison.

Bride

Collier   Sellette   Reculoir

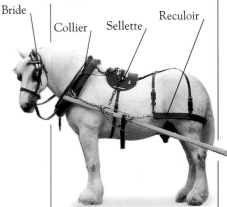

Harnais
Pour tirer chariots et charrettes, les chevaux étaient munis d'un harnais composé d'une bride, d'un collier et d'un reculoir.

Chapitre 5

LA SÉPARATION

JE VÉCUS DANS CE HAVRE DE BONHEUR pendant trois ans, jusqu'à ce que des événements fâcheux se produisent. Nous entendions dire, de temps en temps, que notre maîtresse était malade. Le médecin venait souvent, et notre maître paraissait grave et soucieux. Un jour, nous apprîmes qu'elle devait quitter la maison pour aller vivre dans un pays plus chaud. Notre maître entreprit aussitôt les démarches pour quitter l'Angleterre.

John accomplissait son travail dans le silence et la tristesse. Quant à Joe, il ne sifflait que rarement. Il y eut un grand nombre d'allées et venues.

Les premières à nous quitter furent mesdemoiselles Jessie et Flora, accompagnées de leurs gouvernantes. Elles vinrent nous faire leurs adieux et étreignirent le pauvre Merrylegs comme un vieil ami.

Nous apprîmes ensuite ce qui avait été décidé pour nous. Le maître nous avait vendus, Ginger et moi, à son ami le comte, car il pensait que nous y serions bien traités. Merrylegs avait été donné au vicaire, qui avait une famille nombreuse. Joe fut engagé pour s'occuper de lui, aussi pensais-je que Merrylegs était tiré d'affaire.

Le soir précédant le départ, le maître vint caresser une dernière fois ses chevaux. Il paraissait très triste, je le sentais à sa voix. Je crois que nous, les chevaux, nous sommes plus sensibles à la voix que les hommes.

« Que vas-tu faire, John ? demanda-t-il.

– Je pense chercher une place de dresseur de chevaux, cela me plairait beaucoup, répondit John. Trop de jeunes animaux subissent de mauvais traitements. Si je pouvais donner à quelques-uns un bon début dans la vie, j'aurais le sentiment de faire quelque chose de bien. »

La maladie
Au XIXe siècle, on pensait qu'un changement de climat guérissait de nombreuses maladies, ce qui n'était pas toujours le cas.

Les poneys sont petits et ont un corps trapu.

Monter un poney
Les poneys font moins de 1,50 m de hauteur. Leur petite taille et leur caractère doux en font des montures parfaites pour les enfants.

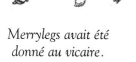

Merrylegs avait été donné au vicaire.

Le jour du départ était arrivé. Ginger et moi, nous conduisîmes une dernière fois la voiture devant la porte du château. Le maître descendit l'escalier, portant sa femme dans ses bras. Il l'installa avec précaution, tandis que les domestiques se tenaient tout autour, les larmes aux yeux.

« Adieu ! dit-il. Nous ne vous oublierons jamais ! »

Lorsque nous arrivâmes à la gare, Joe descendit les bagages. John lui dit de rester près des chevaux et se rendit sur le quai. Bientôt, le train entra en gare dans un nuage de vapeur. Puis les portes claquèrent, le chef de gare siffla et le train partit doucement, nous laissant derrière lui, le cœur lourd.

Quand le train fut hors de vue, John revint. Il prit les rênes, monta sur le siège et conduisit lentement vers la maison. Mais ce n'était plus la nôtre, désormais.

Un bon dresseur
Un bon dresseur est, comme John, patient et gentil. Les différents éléments du dressage, telles la mise en place du mors et l'utilisation de la selle, sont introduits petit à petit.

Bientôt, le train entra en gare dans un nuage de vapeur.

Domesticité
Les familles riches employaient des cochers pour conduire les voitures, et des valets de pied (ou laquais) pour s'occuper de la maison.

Valet de pied en haut-de-forme et culotte

Chapitre 6

EARLSHALL

JOHN SELLA GINGER et me mit les rênes, puis il nous conduisit à Earlshall Park, à une vingtaine de kilomètres de là. On nous plaça dans des box voisins. M. York, qui allait être notre nouveau palefrenier, vint nous voir.

« Le noir a bon caractère, dit John. La jument alezane est un peu nerveuse, mais, si elle est bien traitée, je ne connais pas d'animal plus courageux. Je dois vous dire que nous ne leur avons jamais mis de fausse rêne ni à l'un ni à l'autre.

– Monsieur le comte est raisonnable avec les chevaux, déclara York, mais son épouse est très stricte. Avec elle, les rênes doivent être serrées.

– Voilà qui me fait de la peine », dit John.

Il vint nous caresser une dernière fois.

Je frottai ma tête contre lui.

Ginger se cabra brusquement.

Puis il s'en alla, et je ne le revis jamais.

L'après-midi, nous fûmes attelés à la voiture et amenés devant le château. Deux valets de pied en culotte rouge et bas blancs se tenaient prêts. Bientôt, nous entendîmes un bruissement de soie tandis que Madame descendait l'escalier de pierre. Pendant la promenade, notre tête ne fut pas tenue plus haut que d'habitude et, même s'il était gênant de ne pas pouvoir la baisser de temps en temps, ce ne fut pas trop inconfortable.

Le lendemain, Madame dit d'une voix autoritaire : « York, il faut relever la tête de ces chevaux ! Ils ne sont pas présentables ! »

York ne raccourcit les rênes que d'un cran, mais cela faisait tout de même une différence. Je voulus pencher la tête en avant pour gravir une colline, mais je dus la garder levée, ce qui m'ôta toutes mes forces. Lorsque nous rentrâmes, Ginger me dit : « Maintenant, tu sais ce que c'est. Si cela s'arrête là, je ne dirai rien, car nous sommes bien traités ici. Mais, s'ils touchent encore à mes rênes, ils verront ! »

Jour après jour, nos rênes furent raccourcies. Au lieu d'attendre avec impatience le moment d'être harnaché, j'en venais désormais à le redouter.

Un jour, Madame dit : « Relevez les rênes une bonne fois pour toutes, York, la plaisanterie a assez duré. »

UN MAINTIEN ÉLÉGANT
Au nom de la mode, on supportait l'inconfort. Les femmes riches se serraient la taille dans un corset au point de se couper la respiration. Les chevaux qui tiraient leur voiture devaient également être élégants.

York fixa ma rêne si étroitement que c'en était presque insupportable. Puis il s'approcha de Ginger. Au moment où il s'apprêtait à raccourcir la rêne, Ginger se cabra si brusquement que York en fit tomber son chapeau. Pour finir, elle donna un coup de sabot sur le montant de la voiture et tomba. Dieu sait quel désastre elle aurait pu provoquer si York ne l'avait rapidement maîtrisée.

« Au diable ces fausses rênes ! » grommela-t-il.

Lorsque Ginger fut remise de ses blessures, l'un des fils du comte demanda à la garder pour la chasse à courre. Quant à moi, je continuai à être attelé.

Tête en position normale

Fausse rêne relâchée

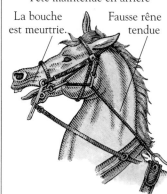

Tête maintenue en arrière
La bouche est meurtrie.
Fausse rêne tendue

Le maintien des rênes
Par souci d'élégance, on imposait aux chevaux le port d'une fausse rêne. Courte et mince, elle obligeait l'animal à se tenir la tête haute et l'empêchait de reprendre sa position naturelle.

À LA CAMPAGNE

Les grandes propriétés de l'Angleterre victorienne possédaient de beaux chevaux. Après Birtwick Park, Prince noir alla à Earlshall, un domaine somptueux où les gens étaient plus préoccupés de la mode que des soins à donner aux chevaux.

Promenade à la campagne

Les gens aisés tels que le comte et son épouse possédaient leur propre attelage, avec des chevaux élégants et racés comme Prince noir et Ginger.

Un château luxueux

À la campagne, les grandes demeures comme Earlshall étaient entourées de dépendances. Les visiteurs se présentaient devant l'entrée principale, où les valets de pied les accueillaient.

Laiterie

Jardin

Quand l'ordre en était donné, les chevaux étaient harnachés et une voiture attendait devant la demeure.

Le cocher conduisait la voiture.

Un large rond-point permettait aux calèches de tourner facilement.

TRAVAILLER À LA CAMPAGNE

Les chevaux étaient utilisés pour les travaux agricoles, les transports, l'entretien des forêts, mais aussi pour des loisirs comme la chasse à courre.

À la ferme

Les fermiers se servaient des chevaux robustes et forts pour tirer les charrues (ci-dessous). On élevait spécialement des chevaux de trait pour ce type de travaux.

Le halage

Un ou deux chevaux étaient nécessaires pour tirer les péniches chargées de marchandises (charbon, bois, etc.) ou de voyageurs. Des canaux sillonnaient alors l'Angleterre.

TRAVAILLER AUX ÉCURIES

Le cocher

Il conduisait les voitures et était également responsable des chevaux et des écuries. Il avait sous ses ordres valets et garçons d'écurie. À Earlshall, York était cocher-chef.

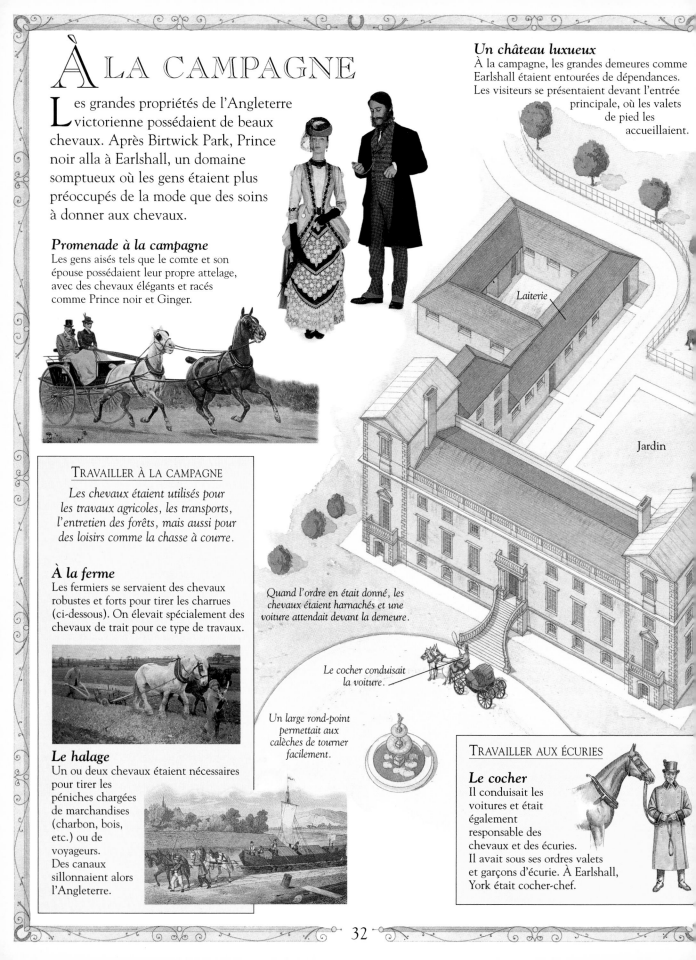

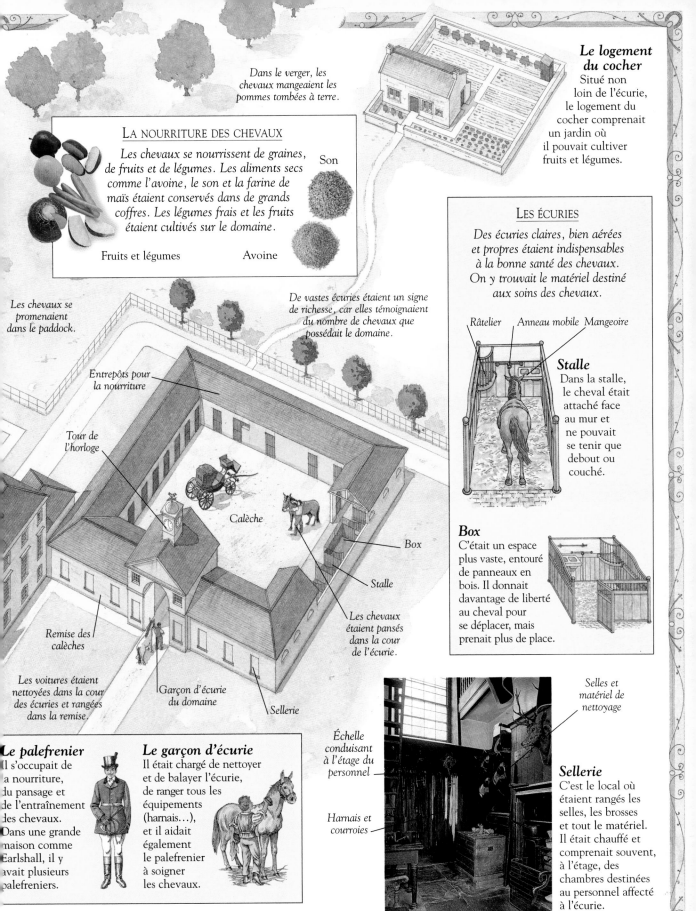

Dans le verger, les chevaux mangeaient les pommes tombées à terre.

LE LOGEMENT DU COCHER

Situé non loin de l'écurie, le logement du cocher comprenait un jardin où il pouvait cultiver fruits et légumes.

LA NOURRITURE DES CHEVAUX

Les chevaux se nourrissent de graines, de fruits et de légumes. Les aliments secs comme l'avoine, le son et la farine de maïs étaient conservés dans de grands coffres. Les légumes frais et les fruits étaient cultivés sur le domaine.

Son

Fruits et légumes

Avoine

LES ÉCURIES

Des écuries claires, bien aérées et propres étaient indispensables à la bonne santé des chevaux. On y trouvait le matériel destiné aux soins des chevaux.

Les chevaux se promenaient dans le paddock.

De vastes écuries étaient un signe de richesse, car elles témoignaient du nombre de chevaux que possédait le domaine.

Râtelier   Anneau mobile   Mangeoire

Stalle

Dans la stalle, le cheval était attaché face au mur et ne pouvait se tenir que debout ou couché.

Entrepôts pour la nourriture

Tour de l'horloge

Calèche

Box

Stalle

Les chevaux étaient pansés dans la cour de l'écurie.

Box

C'était un espace plus vaste, entouré de panneaux en bois. Il donnait davantage de liberté au cheval pour se déplacer, mais prenait plus de place.

Remise des calèches

Les voitures étaient nettoyées dans la cour des écuries et rangées dans la remise.

Garçon d'écurie du domaine

Sellerie

Échelle conduisant à l'étage du personnel

Harnais et courroies

Selles et matériel de nettoyage

Sellerie

C'est le local où étaient rangés les selles, les brosses et tout le matériel. Il était chauffé et comprenait souvent, à l'étage, des chambres destinées au personnel affecté à l'écurie.

Le palefrenier

Il s'occupait de la nourriture, du pansage et de l'entraînement des chevaux. Dans une grande maison comme Earlshall, il y avait plusieurs palefreniers.

Le garçon d'écurie

Il était chargé de nettoyer et de balayer l'écurie, de ranger tous les équipements (harnais...), et il aidait également le palefrenier à soigner les chevaux.

La cavalière s'assoit sur le côté gauche.

Cravache

Gants de cavalier

MONTER EN AMAZONE
Pour une femme, monter avec une selle d'amazone était plus confortable. La cavalière passait sa jambe droite repliée autour du pommeau de selle.

Pommeau   Siège

Selle d'amazone

Étrier unique

Au printemps, monsieur le comte se rendit à Londres avec York, nous laissant, quelques chevaux et moi, au domaine. Lady Harriet, qui resta au château, était invalide et ne sortait jamais en voiture. Quant à lady Anne, elle préférait monter à cheval. Un gentilhomme du nom de Blantyre demeurait au château ; il montait toujours Lizzie, une jument baie au caractère vif.

Un jour, lady Anne ordonna qu'on mette la selle d'amazone sur Lizzie, et l'autre selle sur moi.

« Je vous conseille de ne pas monter Lizzie, dit Blantyre. C'est une jument charmante, mais trop nerveuse pour une femme.

– Ne vous faites pas de souci pour moi, répliqua lady Anne en riant, aidez-moi plutôt à monter, très cher. »

Blantyre l'installa avec précaution sur la selle de Lizzie, puis sauta sur la mienne. Au moment où nous partions, un valet arriva, portant un message de lady Harriet destiné au docteur Ashley.

La maison du médecin était la dernière du

D'un bond puissant, je franchis à la fois le fossé et le talus.

village. Lorsque nous l'atteignîmes, Blantyre mit pied à terre et attacha mes rênes au portail.

Lizzie attendait tranquillement au bord de la route. Lady Anne, ma maîtresse, fredonnait, les rênes relâchées.

C'est alors que de jeunes poulains sortirent du pré voisin en trottant, suivis d'un garçon qui faisait claquer un grand fouet. Un des poulains se précipita sur la route et vint se cogner contre les pattes arrière de Lizzie. Est-ce à cause de ce stupide animal, du fouet ou des deux à la fois, je ne saurais le dire, mais Lizzie donna un violent coup de pied et partit au grand galop.

Je poussai un hennissement retentissant pour appeler au secours. Blantyre sauta en selle et nous nous ruâmes

Besoin d'aide
Il était difficile de monter sur un cheval ayant une selle d'amazone, aussi les femmes étaient-elles aidées par un valet. Celui-ci joignait ses mains pour faire une marche, puis hissait la cavalière sur la selle.

à leur poursuite. On avait récemment creusé un fossé dans les terrains communaux, et la terre formait un remblai sur le côté. Après un court moment d'hésitation, Lizzie sauta par-dessus le fossé, puis elle trébucha et tomba à terre.

Je me concentrai et, d'un bond puissant, je franchis à la fois le fossé et le talus. Ma jeune maîtresse gisait inanimée dans la bruyère, face contre terre.

Deux hommes qui avaient vu Lizzie partir au galop nous suivaient. « Montez sur ce cheval, dit Blantyre au premier qui arrivait, et allez chercher le médecin. »

L'homme monta sur la selle et, après m'avoir lancé un « Hue ! » d'encouragement, il accomplit sa mission.

Deux jours après l'accident, j'appris, pour mon plus grand bonheur, que ma jeune maîtresse était hors de danger et qu'elle pourrait bientôt monter de nouveau.

Il arrive que les chevaux se cabrent avant de s'emballer.

Fuite en avant
Effrayé par un bruit ou un mouvement soudains, un cheval peut s'emballer (partir au grand galop). Les cavaliers expérimentés veillent à anticiper ces réactions.

Il est très difficile d'arrêter un cheval qui s'emballe.

Siège du cocher

Brougham
Cette voiture légère et fermée transportait deux personnes. Tirée par un seul cheval, elle était très utilisée en ville.

Fer orthopédique pour sabots fragiles   **Clous**

Fer à cheval ordinaire

Les fers à cheval
Lorsqu'un cheval marche sur un sol accidenté, ses sabots se crevassent. Les fers à cheval sont destinés à les protéger. Ils sont faits sur mesure.

Clouage d'un fer   **Pince pour extraire les clous**

Le maréchal-ferrant
Il était à la fois le vétérinaire et l'homme qui ferrait les chevaux. La méthode pour ferrer les chevaux n'a pas changé depuis.

Il est temps que je parle un peu de Reuben Smith, qui eut la charge des chevaux quand York partit pour Londres. Lorsqu'il allait bien, il n'y avait pas d'homme de plus grande valeur. Il était doux et savait y faire avec les chevaux. Mais Smith avait un gros défaut : il buvait. Il avait promis de ne plus toucher à l'alcool et avait tenu sa promesse, aussi York pensait-il pouvoir lui faire confiance.

Mais Smith avait un gros défaut : il buvait.

C'était le mois d'avril, et la famille devait revenir en mai. Il fallait faire remettre à neuf le Brougham ; il fut donc convenu que Smith laisserait la voiture chez le charron et rentrerait à cheval. On me choisit pour le voyage.

Nous laissâmes la voiture comme convenu, et Smith me conduisit à l'auberge du *Lion blanc*, où il ordonna au valet d'écurie de me tenir prêt pour quatre heures. Smith ne revint qu'à cinq heures, et annonça qu'il ne partirait pas avant six heures car il avait rendez-vous avec de vieux amis. Le garçon d'écurie lui parla alors d'un clou manquant à l'un des fers de mes sabots de devant. « Cela ira jusqu'à la maison », dit Smith d'un air désinvolte. Or, ce n'était pas dans ses habitudes de ne pas tenir compte d'un clou manquant.

Il était presque neuf heures lorsqu'il demanda qu'on vienne me chercher. Il paraissait de très mauvaise humeur. Nous n'avions pas quitté la ville qu'il me lança au galop en me donnant sans cesse de violents coups de fouet alors que j'allais à toute allure. Les routes étaient caillouteuses et, bientôt, mon fer se desserra. Il finit par se détacher, mais Smith était beaucoup trop ivre pour s'en apercevoir.

Mon pied déferré me faisait cruellement souffrir. Le sabot s'était fendu, et l'intérieur était tailladé par les cailloux. Je finis par trébucher et tombai violemment sur les deux genoux. Smith fut éjecté de la selle. Il poussa un grognement sourd, puis resta inerte.

Il devait être presque minuit lorsque j'entendis un bruit de sabots. Je fus transporté de joie en reconnaissant le hennissement de Ginger ainsi que des voix d'hommes. Ils s'arrêtèrent devant la sihouette allongée sur le sol.

Un des hommes se pencha et dit : « C'est Reuben ! Il est mort ! »

Alors ils s'approchèrent de moi et virent mes genoux blessés.

« Le cheval l'a jeté à terre ! » dit l'autre.

Robert le palefrenier essaya de me faire avancer, mais je retombai aussitôt. « Regarde ! Son pied ne vaut guère mieux que ses genoux ! Ned, j'ai peur que Reuben ait fait une bêtise. Monter un cheval sur ces cailloux avec un fer en moins ! »

Il fut décidé que Robert me conduirait et que Ned ramènerait le corps de Reuben dans le dog-cart. Robert me banda le pied avec son mouchoir et nous prîmes le chemin du retour.

Soigner un cheval
Les pieds et les genoux du cheval sont vulnérables. On lave les blessures avant de les panser et de les bander.

Blessure au genou
Si la jambe est bandée tout de suite, le genou guérit plus vite.

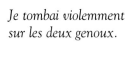

Je tombai violemment sur les deux genoux.

Il y avait les conducteurs aux rênes courtes…

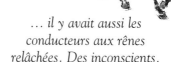

… il y avait aussi les conducteurs aux rênes relâchées. Des inconscients.

Poney de mine

Chariot de charbonnier

Le transport du charbon
Des poneys travaillaient dans des mines pour sortir le charbon, qui était ensuite transporté sur des chariots tirés par des chevaux.

Mais mes malheurs n'étaient pas finis. Peu de temps après, alors que mes genoux allaient mieux, je fus acheté par le propriétaire d'une écurie de louage – ce qui, pour un cheval, signifie être soumis au bon vouloir de celui qui le loue. Il y avait les conducteurs aux rênes courtes, pour qui l'essentiel était de tenir les rênes aussi serrées que possible. Il y avait aussi les conducteurs aux rênes relâchées, qui laissaient les rênes posées sur notre dos, sans aucun moyen de contrôle. Des inconscients.

Un jour, je sortis avec le phaéton, une voiture haute et légère. Mon conducteur riait et plaisantait avec son épouse et ses enfants, sans songer à garder un œil sur son cheval. Un caillou se glissa dans l'un de mes sabots de devant. Quand il s'aperçut que je boitais, l'homme agita les rênes et me donna des petits coups de fouet en disant : « Ils nous ont donné un cheval boiteux ! » Alors arriva un fermier à cheval. Il sortit un pic de sa poche et, avec beaucoup de délicatesse, retira le caillou profondément enfoncé. Voilà le genre d'expériences que nous, chevaux de louage, nous vivions souvent.

Je me souviens parfaitement d'un soir de printemps où Rory et moi étions sortis pour la journée. (Rory m'accompagnait lorsqu'une paire de chevaux était demandée, et c'était un bon compagnon.) Nous rentrions à l'écurie d'un pas vif. La route tournait à gauche et, comme nous longions la haie, il y avait suffisamment de place pour passer. Nous approchions du virage lorsque j'entendis un bruit de cheval et de roues dévalant la colline dans notre direction. L'homme qui conduisait coupa le virage et, lorsqu'il nous vit, il n'eut pas le temps de se ranger de son côté. Heureusement pour moi, j'étais du côté de la haie. C'est Rory qui reçut le choc. Le brancard du cabriolet le frappa en pleine poitrine, et mon compagnon tomba en arrière en poussant un cri que je n'oublierai jamais.

Le conducteur était un de ces ignorants qui ne savent pas de quel côté de la route ils doivent se tenir ou bien qui, s'ils le savent, n'en tiennent pas compte.

Il fallut beaucoup de temps pour que la blessure de Rory guérisse, puis il fut vendu pour tirer les wagonnets dans les mines – la pire de toutes les besognes !

LE LOUAGE

PRIX DE LOCATION

On comptait 16 shillings par jour pour le cheval, la voiture et le cocher, ce qui correspondait environ aux gages hebdomadaires d'un garçon d'écurie. Les cochers pouvaient être loués pour une heure ou plus.

Les écuries de louage proposaient une grande variété de chevaux – du lourd cheval de trait au petit poney – pour accomplir différentes tâches. Ces chevaux étaient mis à la disposition des clients avec harnais et voiture.

Les chevaux de race
Les chevaux de race, comme Prince noir, conduisaient les voitures à la mode.

Avec ses puissantes épaules, ce cheval de race est idéal pour tirer les voitures.

Voyager avec chic
Les chevaux étaient souvent loués par paires assorties, comme ici ces chevaux gris tirant un phaéton.

Barouche
L'été, cette voiture découverte était louée par des couples qui allaient se promener à la campagne ou dans des parcs.

Siège pour deux personnes

Cabriolet
Cette voiture légère à deux roues était très appréciée des jeunes gens. Elle était facile à conduire et n'exigeait qu'un seul cheval.

Une écurie de louage
Une écurie de louage abritait à la fois les chevaux et les voitures. Chaque écurie possédait huit ou neuf chevaux.

Des régisseurs étaient responsables des écuries de louage.

Le cheval était attelé entre deux longs brancards.

Chevaux de trait
Les chevaux de trait sont des bêtes puissantes, à la charpente solide. Certains peuvent peser une tonne.

Les chevaux de trait ont les pattes et le dos courts et une poitrine large.

Les haquets sont des charrettes basses et plates.

Les chevaux de trait étaient loués par des commerçants pour tirer des wagons, des péniches et les haquets des brasseurs, ou par des fermiers pour labourer leurs champs.

Il passait son temps devant le petit miroir de la sellerie.

ENTRETENIR L'ÉCURIE
La litière usagée, le crottin et l'urine donnent vite une odeur fétide. Les écuries doivent être nettoyées tous les jours.

Nettoyer les sabots
Lorsqu'un cheval vit dans une écurie sale, ses sabots se ramollissent et s'infectent. Sabots et fers doivent être nettoyés tous les jours.

Chapitre 7

VENDU À NOUVEAU

HEUREUSEMENT, les bons conducteurs existent. Un gentilhomme me prit en amitié et persuada mon maître de me vendre à l'un de ses amis, qui recherchait un cheval agréable et sûr pour faire de l'équitation. Mon nouveau maître habitait Bath, et faisait des affaires. Il s'y connaissait peu en matière de chevaux, mais il me traitait bien. La place aurait dû être bonne, mais il se passait plein de choses qu'il ignorait.

Je ne crois pas qu'il soit possible d'être plus hypocrite que cet Alfred Smirk, mon nouveau palefrenier. Son seul souci était de se faire beau, et il passait son temps devant le petit miroir de la sellerie. Il était très gentil avec moi et me couvrait de caresses lorsque son maître était là pour le voir, et il brossait toujours ma crinière avec de l'eau pour que je sois élégant. Mais, pour ce qui était de nettoyer mes sabots ou de me faire une vraie toilette, il ne s'en préoccupait guère. Mon box aurait pu être confortable si Alfred n'avait pas été trop paresseux pour le nettoyer. Il ne retirait jamais toute la paille, et les couches de dessous dégageaient une odeur repoussante. J'avais les yeux qui piquaient et j'en perdais l'appétit.

Un jour, son maître entra dans l'écurie.

« Alfred, dit-il, l'écurie sent vraiment mauvais ! Ne devrais-tu pas lui donner un bon coup de brosse et verser quelques seaux d'eau ?

– Tout de suite, monsieur, répondit Alfred en rajustant sa casquette. Mais c'est assez dangereux de jeter de l'eau dans le box d'un cheval. Les chevaux prennent facilement froid.

– Ah bon, dit mon maître. Peut-être que les tuyaux d'écoulement fonctionnent mal, alors ? »

On fit venir le maçon ; il enleva un grand nombre de briques, mais ne trouva rien d'anormal. L'odeur, dans mon box, était plus insupportable que jamais.

À force de piétiner la paille moisie, mes sabots s'abîmèrent et mes pieds commencèrent à me faire souffrir.

« Je ne sais pas ce qui arrive à ce cheval, disait souvent mon maître. Il devient très maladroit.

– Oui, monsieur, répondait Alfred. Je l'ai également remarqué lorsque je le sors. »

En fait, il me sortait à peine et, lorsque le maître était occupé, je restais parfois des jours sans me dégourdir les pattes.

Un jour, mes pieds me faisaient tellement mal que je fis deux dangereux faux pas. Mon maître s'arrêta chez le maréchal-ferrant pour voir ce qui se passait. L'homme leva mes pieds l'un après l'autre et les examina. « C'est le genre de choses que l'on voit dans les écuries mal tenues », dit-il.

Le lendemain, j'eus les pieds soigneusement récurés et trempés dans une lotion forte. Le maréchal-ferrant ordonna qu'on change ma litière tous les jours et que le sol de mon box soit maintenu parfaitement propre.

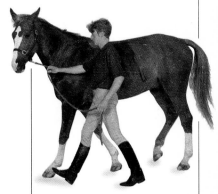

S'échauffer
Un cheval a besoin d'exercice quotidien. Avant d'être monté, il doit s'échauffer en marchant et en trottant pendant une vingtaine de minutes.

« Alfred, l'écurie sent vraiment mauvais ! »

Je sentis, à la façon dont il me touchait, qu'il avait l'habitude des chevaux.

Robe douce et brillante

Œil vif et clair

Pied en bon état

L'examen

Les acheteurs examinaient le cheval afin de trouver des signes de négligence ou de maladie. Ils vérifiaient aussi que sa conformation était harmonieuse.

Mais mon maître était si déçu d'avoir été trompé par son valet qu'il renonça à posséder un cheval. Il m'emmena à la foire pour me vendre. Là, je fus examiné en détail par de nombreux acheteurs.

Tout d'abord, on m'ouvrait la bouche, puis on me regardait les yeux, on tâtait mes jambes tout le long, puis on me palpait tout le corps et, enfin, on essayait mes allures. Certains y allaient d'un geste rude, comme s'ils avaient affaire à un simple morceau de bois ; d'autres passaient leurs mains doucement sur mon corps, avec une petite tape çà et là, comme pour me demander la permission. Bien entendu, je jugeais un grand nombre d'acheteurs à leurs manières à mon égard.

Arriva un homme qui me fit penser que, s'il m'achetait, je serais heureux. En un instant, à la façon dont il me touchait, je sus qu'il avait l'habitude des chevaux. Il parlait doucement, et ses yeux gris avaient une lueur de bonté et d'affection. Il offrit vingt-trois livres pour moi, mais ce fut refusé et il s'en alla. Je le cherchais des yeux, mais il était parti, et un homme à l'aspect très dur et à la voix forte se présenta.

Il offrit également vingt-trois livres. Des pourparlers très âpres s'engagèrent car mon vendeur commençait à penser qu'il n'obtiendrait pas le prix qu'il demandait et qu'il devait le diminuer.

À ce moment-là, l'homme aux yeux gris revint. Je ne pus m'empêcher de tendre la tête dans sa direction. Il me caressa doucement le museau.

« Eh bien, mon vieux, me dit-il, je crois que nous nous entendrons bien, tous les deux. Je donne vingt-quatre livres pour ce cheval !

– Vingt-cinq et il est à vous.

– Vingt-quatre livres et dix shillings, répliqua mon ami. Et pas un sou de plus.

– Marché conclu », dit le vendeur.

La somme fut payée sur-le-champ, et mon nouveau maître me conduisit hors de la foire jusqu'à une auberge où il me donna une bonne ration d'avoine. Puis nous nous mîmes en route pour Londres et, lorsque nous arrivâmes dans la grande ville, le crépuscule tombait.

À LA FOIRE

Les foires aux chevaux étaient des endroits très animés. De nombreuses races de chevaux étaient présentées à des acheteurs de tous les milieux, du riche propriétaire terrien au simple conducteur de fiacre. À ce moment-là, Prince noir avait moins de valeur à cause de ses genoux abîmés, mais il eut la chance d'être acheté par le gentil Jerry Barker.

Acheteur examinant les dents d'un cheval

DÉTERMINER L'ÂGE D'UN CHEVAL

À partir de l'âge de 12 ans, les incisives s'inclinent vers l'extérieur et les gencives rétrécissent, faisant paraître les dents du cheval plus longues. Cela s'aggrave de plus en plus avec l'âge.

Un grand choix
Selon leurs besoins, les acheteurs tiennent compte de différentes qualités chez un cheval. Les chevaux de race, comme Prince noir, étaient choisis pour tirer les voitures.

Poney palomino avec une queue et une crinière blanches

Les poneys conviennent aux enfants.

Robe alezane

Bien que réputés fougueux, les alezans comme Ginger étaient parfaits pour l'attelage.

Cou gracieux

Les pur-sang fins et élancés étaient les plus chers.

Robe soyeuse et fine

Acheteurs examinant les chevaux

Les foires aux chevaux rassemblaient des gens venus de toute la région.

La foire aux chevaux de Barnet, au nord de Londres, était très connue.

Faire du commerce
Les acheteurs devaient bien connaître les chevaux, sinon les marchands essayaient souvent de les tromper. Les acheteurs aisés avaient parfois recours à des professionnels pour examiner les chevaux à leur place.

LE PRIX DE PRINCE NOIR

Le comte acheta Ginger et Prince noir 300 livres puis Prince noir fut vendu 24 livres et 10 shillings à Jerry Barker. Plus tard, épuisé par sa tâche de cheval de fiacre, il ne sera vendu que 5 livres.

Corps massif et puissant

Mesurer
Un cheval était mesuré en « mains » depuis les pieds jusqu'aux épaules (garrot). Une main égale 10,16 cm. Prince noir mesurait 15,5 mains, une hauteur moyenne pour un cheval d'attelage.

Une « main » est basée sur la largeur moyenne d'une main d'homme.

Les lourds chevaux de trait étaient élevés pour les travaux pénibles.

Poils fins, appelés plumes, sur les pattes.

Chapitre 8

CHEVAL DE FIACRE

LE NOM DE MON NOUVEAU MAÎTRE était Jeremy Barker, mais tout le monde l'appelait Jerry. Polly, sa femme, était l'épouse dont tout homme peut rêver. Leur fils, Harry, avait presque douze ans, et la petite Dolly, huit ans. Je n'ai jamais connu une famille aussi heureuse. Néanmoins, la première semaine de ma vie de cheval de fiacre fut difficile. Le bruit et la foule me rendaient nerveux. Mais je m'aperçus vite que je pouvais faire confiance à mon conducteur. Jerry ne leva jamais le fouet sur moi ; je savais quand je devais avancer seulement à la façon dont il levait les rênes.

Rien ne mettait Jerry plus en colère que les gens qui voulaient qu'il conduise à toute vitesse pour rattraper leur retard. Cependant, il ne refusait pas de mettre toute la vapeur, comme il disait, s'il savait pourquoi.

Je me souviens qu'un matin, comme nous nous trouvions à la station en train d'attendre une course, un jeune homme glissa sur

LES RUES DE LONDRES
Les rues de Londres étaient pleines d'une foule de chevaux tirant des voitures, des fiacres et des omnibus.

Je n'ai jamais connu une famille aussi heureuse.

Les stations de fiacres
Londres en comptait environ 500. Postés dans leur fiacre, les cochers attendaient souvent pendant des heures et par tous les temps.

une peau d'orange et tomba lourdement. Jerry accourut pour le relever. L'homme paraissait très choqué.

« Pouvez-vous me conduire à la gare de South-Eastern ? demanda-t-il. Je dois absolument prendre le train de midi.

– Je vais faire de mon mieux, dit Jerry d'une voix aimable. Vous sentez-vous bien, monsieur ? ajouta-t-il, tant le jeune homme paraissait souffrir.

– Je dois y aller, assura-t-il. Ne perdons pas de temps. »

Jerry me guida avec son adresse coutumière au milieu des voitures, des omnibus, des carrioles, des vans, des fiacres et des chariots. Nous arrivâmes devant la gare à point nommé.

« Merci, mon ami, à vous et à votre cheval, dit le jeune homme. Vous m'avez fait gagner plus que quiconque pourrait jamais payer. Acceptez cette demi-couronne en guise de pourboire.

– Non, merci, monsieur. C'est assez payé pour moi que de voir combien vous êtes heureux d'avoir pu attraper votre train. »

Growler
Jerry devait conduire un fiacre Clarence, surnommé Growler (« gronder » en anglais) car ses roues en fer faisaient beaucoup de bruit sur les pavés.

Emplacement des bagages

Siège du cocher

« Merci, mon ami, à vous et à votre cheval. »

LA GUERRE DE CRIMÉE
La guerre de Crimée (1854-1855) opposa la Grande-Bretagne, la France, l'Empire ottoman et le Piémont à la Russie. Au cours de la charge finale, des centaines d'hommes et de chevaux furent tués.

L'autre cheval de fiacre de Jerry s'appelait Capitaine. C'était un grand cheval blanc qui avait dû être vraiment splendide lorsqu'il était jeune. Son premier propriétaire était un officier de cavalerie qui avait participé à la guerre de Crimée. « Mon vaillant maître et moi, racontait Capitaine, nous avons participé à de nombreux combats sans une blessure. Je ne pense pas avoir jamais eu peur pour ma vie. La voix joyeuse de mon maître, quand il encourageait ses hommes, me donnait le sentiment que ni lui ni moi ne pourrions être tués. Jusqu'à ce jour… »

Là, le vieux Capitaine s'arrêta un instant et prit une profonde inspiration : « C'était un matin d'automne et, comme à l'accoutumée, les hommes montaient leurs chevaux, attendant les ordres. Le jour allait se lever quand nous entendîmes le feu des fusils ennemis. "Nous aurons une rude journée, dit mon maître d'une voix calme tout en lissant ma crinière, mais nous ferons notre devoir, comme nous l'avons toujours fait."

« Ce serait trop long de tout raconter. J'évoquerai donc juste la dernière charge que

nous livrâmes ensemble. C'était dans une vallée, juste devant le canon ennemi. Bien que nous fûmes habitués au grondement de l'artillerie lourde et au crépitement des mousquets, je ne m'étais jamais trouvé sous un tel feu. De partout, tirs et obus nous assaillaient. Plus d'un cheval tomba, envoyant son cavalier sur le sol. C'était affreux, mais personne ne recula. Nous nous resserrions, galopant de plus en plus vite à mesure que nous nous approchions des canons, au beau milieu d'un nuage de fumée blanche.

Mon cher maître encourageait ses camarades en levant le bras lorsqu'une balle, sifflant à mon oreille, l'atteignit. Je le sentis vaciller sous le choc, puis il bascula de la selle et tomba à terre. J'aurais voulu rester à ses côtés et ne pas le laisser sous ce flot de sabots, mais en vain. La majorité des hommes et des animaux qui étaient sortis ce matin-là ne revint jamais. »

Capitaine
Les officiers montaient des chevaux blancs, comme Capitaine.

Mousquet
Balles en plomb

Baïonnette

Armes
Les fantassins utilisaient des mousquets, version primitive des fusils ; une baïonnette pouvait y être ajoutée pour le combat rapproché.

« *Une balle, sifflant à mon oreille, l'atteignit.* »

47

Un jour, alors que nous attendions comme beaucoup d'autres à la sortie d'un parc, un fiacre brinquebalant se gara à nos côtés. La jument était une vieille alezane à la robe mal entretenue et toute décharnée. J'étais en train de manger du foin, et le vent en emporta un brin dans sa direction. La pauvre créature tendit son long cou maigre pour l'attraper puis se retourna et me regarda avec une lueur d'espoir dans ses yeux tristes. Alors que je me demandai où j'avais vu cette jument auparavant, elle me dit :

« Prince noir, c'est toi ? » C'était Ginger ! Comme elle avait changé ! Son poil, jadis si beau, si brillant, était à présent terne et usé. Son regard, autrefois plein de vie, était maintenant empli de souffrance. Et je devinai à ses flancs palpitants et à sa toux tenace combien sa respiration était mauvaise.

Je me rapprochai d'elle afin de pouvoir lui parler en toute tranquillité. Elle me raconta alors qu'après Earlshall elle avait été vendue à un gentilhomme. Pendant quelque temps, tout alla très bien mais un jour, à la suite d'une course trop longue, une vieille blessure réapparut. Après une période de repos, elle fut à nouveau vendue. Elle changea ainsi de mains à plusieurs reprises, mais chaque fois le maître était plus mauvais.

« Et pour finir, dit-elle, je fus achetée par un homme qui possède un certain nombre de fiacres et de chevaux qu'il loue. Celui qui me loue actuellement paie une importante somme d'argent au propriétaire chaque jour, ce qui fait que je dois travailler d'arrache-pied toute la semaine, sans un jour de repos.

– Tu ne te serais pas laissé faire avant, dis-je.

– Je me suis révoltée une fois, mais en vain. Les hommes sont les plus forts. S'ils sont cruels et qu'ils n'ont pas de cœur, il n'y a rien d'autre à faire que de subir, toujours et toujours, jusqu'à la fin. J'espérais que cette fin viendrait, j'espérais mourir. J'ai déjà vu des chevaux morts, et je suis certaine qu'ils ne souffrent plus. »

J'étais bouleversé, et je posai mon museau contre le sien, mais je ne trouvais rien à dire pour la réconforter. « Tu es le seul ami que j'aie jamais eu », me souffla Ginger.

Juste à ce moment-là, son conducteur arriva et, d'un coup sur le collier, il la fit reculer pour quitter la file. Ils partirent, me laissant bien triste.

Quelques semaines après, je vis passer une charrette transportant un cheval mort. Sa tête pendait à l'arrière, et de sa langue sans vie s'échappait un filet de sang. C'était un cheval alezan au long cou fin, avec une bande blanche sur le front. Je crois que c'était Ginger. J'espère que c'était elle : ainsi, ses souffrances avaient pris fin.

C'était Ginger !
Comme elle avait
changé !

Période électorale
Chaque parti avait sa propre couleur. Les conservateurs portaient du bleu et les libéraux de l'orange.

Sac à fourrage
Durant la journée, les chevaux étaient nourris au moyen d'un sac rempli de grain fixé sur leur tête par une courroie.

Saint-Thomas
C'est l'un des plus anciens hôpitaux de Londres. Il fut reconstruit sur la rive sud de la Tamise en 1871.

Un après-midi, alors que nous rentrions dans la cour de la maison, Polly vint à notre rencontre.

« Jerry ! dit-elle, un des candidats est venu demander pour qui tu pensais voter. Il veut louer ton fiacre pour les élections.

– Eh bien, Polly, tu lui diras que mon fiacre est déjà retenu ailleurs. Je n'aimerais pas le voir recouvert de leurs grandes affiches. »

Le jour des élections, Jerry et moi eûmes beaucoup de travail. C'est à peine si j'eus le temps de manger le contenu de mon sac à fourrage. Les rues étaient bondées, et les fiacres aux couleurs des candidats se précipitaient à travers la foule comme si c'était une question de vie ou de mort. C'est alors qu'une jeune femme portant un enfant s'approcha et demanda à Jerry le chemin de l'hôpital Saint-Thomas. L'enfant pleurait.

« Il souffre beaucoup, dit-elle. Je voudrais l'emmener à l'hôpital.

– Eh bien, fit Jerry, l'hôpital se trouve à trois kilomètres d'ici. Je vais vous y conduire gratuitement.

– Dieu vous bénisse ! » s'exclama la femme.

Jerry s'apprêtait à ouvrir la porte lorsque deux hommes, leur chapeau orné des couleurs d'un parti, surgirent en criant : « Cocher ! » Repoussant la femme, l'un d'eux bondit dans le fiacre et l'autre suivit.

« Ce fiacre est déjà pris par cette dame », dit Jerry d'une voix sévère. Comme il refusait la course, les deux hommes finirent par descendre, non sans le traiter de toutes sortes de vilains noms. Nous atteignîmes bientôt l'hôpital et Jerry aida la jeune femme à descendre. « Merci mille fois », dit-elle.

Juste au moment où nous quittions l'hôpital, une dame apparut à l'entrée.

« Jeremy Barker ! s'écria-t-elle. Tu tombes à point nommé, c'est très difficile d'avoir un fiacre aujourd'hui.

Le jour des élections, Jerry et moi eûmes beaucoup de travail.

– Je serai fier de vous servir, madame Fowler », dit Jerry. Nous la conduisîmes à la gare de Paddington, et j'appris qu'elle avait été l'institutrice de Polly.

Repoussant la femme, l'un d'eux bondit dans le fiacre et l'autre suivit.

– Comment trouves-tu ton métier de cocher ? demanda-t-elle.

– Je m'en sors plutôt bien, même si je dois travailler à toutes les heures et par tous les temps.

– Eh bien, Barker, dit-elle, si jamais tu penses abandonner ce travail, fais-le-moi savoir. Il y a de nombreuses maisons qui demandent de bons cochers. »

« Comment trouves-tu ton métier de cocher ? »

Noël victorien
*La célébration de Noël telle
que nous la connaissons,
avec un sapin décoré,
date du XIXe siècle.*

**Haute société
londonienne**
*Les gens riches donnaient
des bals, surtout pour Noël
et le nouvel an.*

**Jeux de
cartes**
*Certaines
personnes
organisaient
chez elles des
parties de
cartes.*

Si, pour la plupart des gens, Noël et le nouvel an riment avec joie, pour les cochers de fiacre et leurs chevaux, ce ne sont pas des vacances. Il y a tant et tant de fêtes et de bals qu'il faut travailler dur et souvent tard dans la nuit. Nous avions eu beaucoup de travail pendant la semaine de Noël, et la toux de Jerry était mauvaise.

Le soir du nouvel an, nous chargeâmes deux gentilshommes qui se rendaient dans une maison située sur l'une des places de West End. Nous les quittâmes à neuf heures et ils nous demandèrent de revenir à onze. « Étant donné qu'il s'agit d'une partie de cartes, dit l'un d'eux, vous devrez peut-être attendre quelques minutes, mais ne soyez pas en retard ! »

L'horloge sonnait onze heures au moment où nous arrivions devant la porte, car Jerry était toujours ponctuel. L'horloge égrena les quarts, un, deux, trois, puis minuit sonna, mais la porte ne s'ouvrit pas. Le vent mêlé à de la neige fondue était glacial et il n'y avait pas le moindre abri. À minuit et demi, Jerry sonna à la porte et demanda d'une voix enrouée si on avait besoin de lui cette nuit. « Oh oui, répondit le valet. La partie est presque terminée. »

À une heure et quart, les deux gentilshommes sortirent enfin. Ils montèrent dans le fiacre et indiquèrent à Jerry où il devait les conduire. Mes jambes étaient engourdies par le froid, et je m'attendais à trébucher d'un instant à l'autre. Lorsque les hommes descendirent, non seulement ils ne s'excusèrent pas de nous avoir fait attendre aussi longtemps, mais en plus ils trouvèrent le supplément des deux heures et quart d'attente excessif.

Nous rentrâmes à la maison. Jerry pouvait à peine parler, ses quintes de toux redoublaient.

Le lendemain, assez tard dans la matinée, quelqu'un arriva dans l'écurie : c'était Harry. Tandis qu'il nous donnait à manger et balayait les stalles, il ne sifflait pas comme d'habitude. Il revint à midi ; cette fois, Dolly l'accompagnait. Elle pleurait, et je devinai à ce qu'ils disaient que Jerry était gravement malade.

Il se rétablit vite, mais le médecin dit qu'il devait renoncer à son métier de cocher de fiacre s'il voulait rester en bonne santé.

Un après-midi, Dolly arriva dans l'étable en dansant. «Maman a reçu une lettre de Mme Fowler, dit-elle à Harry. Elle dit que nous allons tous vivre auprès d'elle. Son cocher la quitte et elle veut que père le remplace.» Il fut vite décidé que, dès que Jerry irait mieux, la famille déménagerait à la campagne, et que le fiacre et les chevaux seraient vendus.

Ces nouvelles n'étaient pas bonnes pour moi : je n'étais plus jeune, et trois années de fiacre avaient altéré mes forces.

Un dur métier
La vie du cocher était ingrate. Il travaillait dur, pour un piètre salaire. Certains clients obligeaient les cochers et leurs chevaux à attendre des heures dans le froid.

Minuit sonna, mais la porte ne s'ouvrit pas.

Le Londres victorien

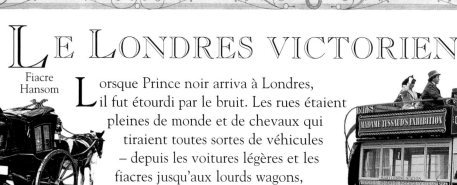

Fiacre Hansom

Lorsque Prince noir arriva à Londres, il fut étourdi par le bruit. Les rues étaient pleines de monde et de chevaux qui tiraient toutes sortes de véhicules – depuis les voitures légères et les fiacres jusqu'aux lourds wagons, omnibus et tramways.

Omnibus

À cette époque, il y avait à Londres environ 800 omnibus tirés par des chevaux. Le travail était dur pour les chevaux, car les voitures étaient très lourdes.

Les fiacres de la ville de Londres

Les fiacres étaient près de quatre fois plus nombreux que les omnibus ou les tramways. Les plus utilisés étaient le Hansom et le Growler.

Siège du cocher

Hansom

Le Hansom à deux roues était plus rapide et plus élégant que le Growler. Il était aussi plus cher.

Growler

Le Growler à quatre roues était moins beau que le Hansom, mais plus vaste et plus pratique. Comme il y avait beaucoup de place pour les bagages, on l'utilisait souvent pour les voyageurs qui prenaient le train.

Chevaux de fiacre

Les chevaux de fiacre étaient généralement bruns ou alezans. Après deux ou trois années, ils étaient souvent vendus à des marchands.

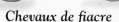

Abris

Certaines stations de fiacres possédaient des abris qui fournissaient aux cochers de la nourriture et des boissons. Ces abris ne devaient pas prendre plus de place qu'un cheval et un fiacre.

Prix d'un fiacre

Alors qu'il payait 90 pence par jour pour louer un fiacre et deux chevaux, le cocher ne pouvait demander que 2,5 pence pour 1 mile (1,6 km).

Heures de pointe

Des milliers de gens traversaient le pont de Londres chaque jour pour se rendre à leur travail. Beaucoup préféraient marcher plutôt que de rouler au pas.

La police montée officiait généralement dans les faubourgs les moins peuplés de Londres, mais, à partir de 1870, elle participa également au maintien de l'ordre dans le centre de la ville.

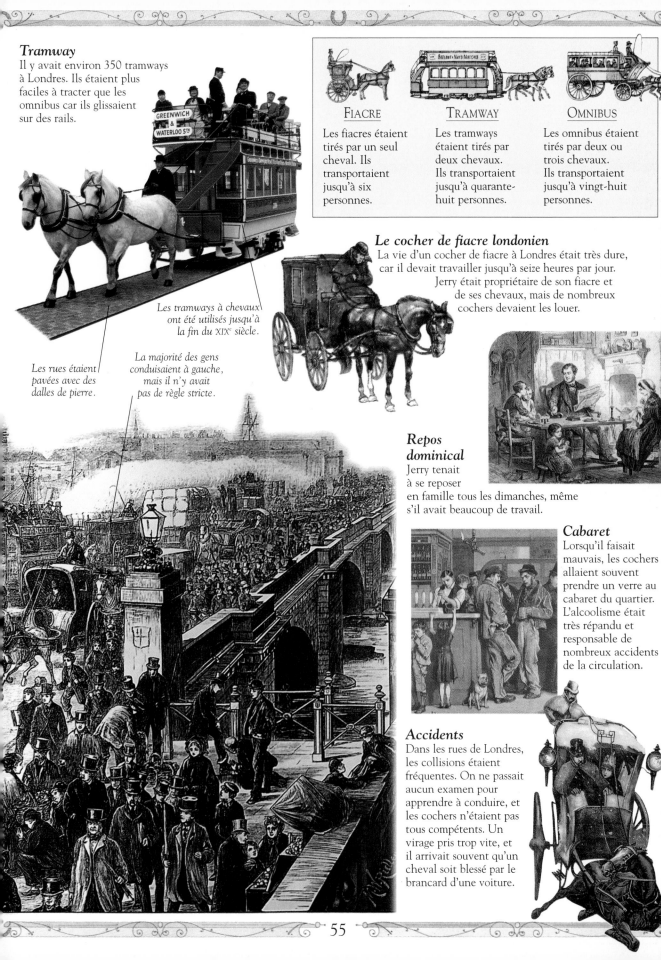

Tramway

Il y avait environ 350 tramways à Londres. Ils étaient plus faciles à tracter que les omnibus car ils glissaient sur des rails.

FIACRE	TRAMWAY	OMNIBUS
Les fiacres étaient tirés par un seul cheval. Ils transportaient jusqu'à six personnes.	Les tramways étaient tirés par deux chevaux. Ils transportaient jusqu'à quarante-huit personnes.	Les omnibus étaient tirés par deux ou trois chevaux. Ils transportaient jusqu'à vingt-huit personnes.

*Les tramways à chevaux ont été utilisés jusqu'à la fin du XIX*e *siècle.*

Les rues étaient pavées avec des dalles de pierre.

La majorité des gens conduisaient à gauche, mais il n'y avait pas de règle stricte.

Le cocher de fiacre londonien

La vie d'un cocher de fiacre à Londres était très dure, car il devait travailler jusqu'à seize heures par jour. Jerry était propriétaire de son fiacre et de ses chevaux, mais de nombreux cochers devaient les louer.

Repos dominical

Jerry tenait à se reposer en famille tous les dimanches, même s'il avait beaucoup de travail.

Cabaret

Lorsqu'il faisait mauvais, les cochers allaient souvent prendre un verre au cabaret du quartier. L'alcoolisme était très répandu et responsable de nombreux accidents de la circulation.

Accidents

Dans les rues de Londres, les collisions étaient fréquentes. On ne passait aucun examen pour apprendre à conduire, et les cochers n'étaient pas tous compétents. Un virage pris trop vite, et il arrivait souvent qu'un cheval soit blessé par le brancard d'une voiture.

Marchand de blé-boulanger
Ce commerçant vendait des céréales, mais aussi du pain.

Les chariots à deux roues pouvaient transporter 0,5 tonne.

Chariot
Commerçants et fermiers utilisaient les chevaux pour le transport de marchandises variées.

Un bon charretier donnait de petits coups de fouet, sans blesser le cheval.

Fouet de charretier

Chapitre 9

DES TEMPS DIFFICILES

J E FUS VENDU À UN MARCHAND DE BLÉ-BOULANGER que Jerry connaissait. Il pensait que je serais bien nourri et que j'aurais un travail agréable. Mais le valet-chef de la maison avait la fâcheuse manie de toujours vouloir me charger plus que de raison.

Un jour, la cargaison était particulièrement lourde et une partie de la route montait en pente raide. Je tentai de la gravir en rassemblant toutes mes forces, mais en vain : je m'arrêtais sans cesse. Cela ne plut pas au charretier, Jakes, qui me donna un terrible coup de fouet. « Avance, espèce de paresseux ou tu vas comprendre ta douleur ! »

La douleur provoquée par la lanière était aiguë, mais je fus surtout très vexé. Être puni et insulté alors que je faisais de mon mieux ne me plaisait pas du tout. Jakes me fouettait cruellement lorsqu'une dame s'approcha de nous.

« Je vous prie de cesser de fouetter votre cheval, dit-elle d'une voix douce et assurée. La route est très pentue et il fait de son mieux.

– Si faire de son mieux ne lui permet pas de monter cette cargaison, il doit y mettre plus de bonne volonté, répondit Jakes.

– Mais n'est-ce pas une charge trop lourde pour lui ?

– Oui, bien sûr ! Mais ce n'est pas de ma faute, ce n'est pas moi qui décide. »

Il levait à nouveau son fouet lorsque la dame dit :

« Il ne peut utiliser toute sa force, avec la tête tirée en arrière par ces rênes. Si vous les lui ôtiez, je suis certaine qu'il ferait mieux. »

Jakes eut un rire bref.

« Que ne ferais-je pour faire plaisir à une dame ! »

Les rênes furent enlevées, à mon grand soulagement. Je levai et abaissai ma tête à plusieurs reprises pour chasser la raideur douloureuse de mon cou.

« Pauvre bête ! C'est ce que tu voulais, dit la dame en me caressant. Et maintenant, si vous lui parlez avec douceur en le conduisant, je crois qu'il pourra faire mieux. »

Jakes prit les rênes. « Allez, Noiraud ! » dit-il.

« Pauvre bête ! C'est ce que tu voulais », dit la dame en me caressant.

J'abaissai la tête et tirai de tout mon poids sur le collier sans ménager mes efforts. Le chariot se mit en marche, et je le tirai d'un pas ferme jusqu'en haut de la colline. Puis je m'arrêtai pour reprendre mon souffle.

« Vous voyez qu'il est de bonne volonté, lorsque vous lui donnez sa chance, dit alors la dame. Vous ne lui remettrez pas ces rênes, n'est-ce pas ?

– Eh bien, madame, je ne peux nier que sans rênes il a réussi à monter la colline. Mais, si je ne les lui remettais pas, je serais la risée de tous les cochers. C'est la mode, que voulez-vous !

– Ne vaut-il pas mieux, dit-elle, lancer une mode sensée plutôt que d'en suivre une mauvaise ? Ce n'est pas parce que ces malheureuses créatures ne parlent pas qu'elles ne souffrent pas. »

Collier

Le collier est la partie du harnais qui se place autour du cou du cheval. Il est relié à la charge par des chaînes.

Corps matelassé

Les chaînes sont attachées au cadre en métal appelé attelle.

Le collier réduit l'effort que doit faire le cheval en répartissant le poids de la charge.

Médaillon de cuivre

Skinner était propriétaire de fiacres bon marché, conduits par de mauvais cochers.

Lourde charge
Les fiacres étaient autorisés à transporter jusqu'à six passagers, mais il n'y avait aucune limite pour les bagages.

Ludgate Hill
Cette rue du centre de Londres va de Fleet Street et Ludgate Circus jusqu'à la cathédrale Saint-Paul.

Je n'oublierai jamais le maître que j'eus après. Il avait les yeux noirs, le nez busqué, et sa voix était aussi désagréable que le crissement des roues d'un fiacre sur le gravier. Il s'appelait Nicolas Skinner et était propriétaire de fiacres bon marché, conduits par de mauvais cochers. Il était dur avec ses employés qui, à leur tour, étaient durs avec les chevaux. Mon conducteur avait le fouet facile : il me fouettait même sous le ventre, et faisait claquer son fouet près de ma tête. Ma vie était si misérable que j'en vins à souhaiter, comme Ginger, de tomber raide mort pour en finir avec cette misère. Un jour, mon souhait faillit se réaliser. Nous devions prendre des voyageurs à la gare. Ils étaient quatre : un homme bruyant et fanfaron, une dame, un petit garçon et une jeune fille. Ils avaient beaucoup de bagages. La jeune fille s'approcha de moi et me regarda.

« Papa, dit-elle, je suis certaine que ce pauvre cheval ne pourra jamais nous transporter, nous et nos bagages. Regardez-le ! »

Le porteur suggéra au gentilhomme de prendre un second fiacre, étant donné le nombre de bagages.

« Papa, prenez un second fiacre, dit la jeune fille. C'est très cruel de faire tirer autant de choses à un cheval.

– Monte, Grace, et ne fais pas d'histoires, dit le père. »

Ma gentille amie dut obéir et, malle après malle, tous les bagages furent chargés. Nous fûmes enfin prêts. Je marchai sans trop de problèmes jusqu'à Ludgate Hill, mais petit à petit je m'épuisai. Je luttai pour continuer, stimulé par le fouet, quand soudain mes jambes se dérobèrent. Je tombai lourdement sur le sol. La chute me coupa la respiration. Je restai allongé, immobile : je n'avais pas la force de bouger, et je crus vraiment que j'allais mourir. Dans ma confusion, j'entendis tout de même cette douce voix pleine de pitié dire : « Pauvre cheval ! C'est de notre faute ! »

Quelqu'un défit ma bride et mon collier. Puis j'entendis un policier donner des ordres, mais je n'ouvris même pas les yeux. Je ne sais combien de temps je restai là, mais, après plusieurs tentatives, je réussis à tenir sur mes pattes. Alors, un brave homme me conduisit dans des écuries qui se trouvaient à proximité. On me donna une bouillie chaude que je bus avec reconnaissance. Le soir, on me ramena aux écuries de Skinner.

Le lendemain, Skinner vint accompagné du maréchal-ferrant, qui m'examina attentivement.

« Il n'est pas malade : il est simplement épuisé, déclara-t-il. Il ne lui reste plus une once de force.

– Dans ce cas, il est bon pour l'équarrisseur, dit Skinner. Je n'ai pas de prairies où soigner les chevaux fatigués.

– Il y a une vente de chevaux âgés dans une dizaine de jours, fit le maréchal-ferrant. Avec un bon repos et une nourriture suffisante, il peut se rétablir. Vous en tirerez davantage que le prix de sa peau, de toute façon. »

À cette vente, je remarquai un vieux monsieur accompagné d'un jeune garçon.

« Pauvre cheval ! s'exclama le garçon. Grand-père, ne pourriez-vous pas l'acheter et lui rendre sa jeunesse ? »

Je redressai mon pauvre cou maigre, levai un peu la queue et lançai mes jambes du mieux que je pus car elles étaient très raides.

« Je doute que cela soit possible », dit le vieil homme en secouant la tête, tout en sortant son portefeuille de sa poche.

Et, tandis que le valet de mon nouveau maître me conduisait à la maison, le garçon ne pouvait cacher sa joie.

Police
La police était chargée d'éviter les embouteillages dans les rues. Les gens qui conduisaient trop vite et mettaient la vie des autres en danger étaient verbalisés.

Mes jambes se dérobèrent et je tombai lourdement sur le sol.

Soigner un cheval
Avec un exercice régulier, une bonne nourriture et des soins adaptés, un cheval âgé peut être en excellente santé.

Étoile

Étoile et liste

Marques
Les marques blanches de la tête d'un cheval portent des noms particuliers, comme l'étoile de Prince noir.

Belle face

Chapitre 10

MA DERNIÈRE MAISON

MON BIENFAITEUR, QUI S'APPELAIT M. THOROUGHGOOD, ordonna qu'on me donne du foin et de l'avoine matin et soir, et qu'on me laisse en liberté dans le pré pendant la journée. « C'est toi, Willie, qui en aura la responsabilité », dit-il à son petit-fils. Le garçon était fier de cette manifestation de confiance et s'en montra digne. Le repos absolu, la bonne nourriture, l'herbe tendre et un peu d'exercice commencèrent bientôt à porter leurs fruits, tant sur mon physique que sur mon moral.

Trois dames sortirent pour me regarder.

« Il rajeunit, Willie ! dit M. Thoroughgood. Nous allons songer à un travail facile pour lui, où il sera respecté. »

Quelque temps plus tard, Willie monta sur le siège avec son grand-père. À un ou deux miles du village, nous arrivâmes devant une jolie maison. Trois dames en sortirent pour me regarder.

La plus jeune, Mlle Hélène, parut me trouver à son goût. Mlle Lavinia dit que conduire un cheval qui était déjà tombé une fois la rendait nerveuse, car cela pouvait se reproduire. « Beaucoup de chevaux de première classe ont les genoux brisés à cause d'un conducteur négligent, affirma monsieur Thoroughgood. D'après ce que je sais de ce cheval, c'est ce qui s'est passé. Si vous avez des doutes, vous pourrez le renvoyer chez moi. »

Le lendemain, alors qu'il me nettoyait la tête, le valet remarqua :

« Il a la même étoile que Prince noir. Je me demande où Prince peut être, maintenant ». Un peu plus bas, il atteignit l'endroit de mon cou où l'on m'avait fait une saignée. Une petite bosse s'était formée sous ma peau. « Une étoile blanche sur le front, un pied blanc, cette petite bosse juste à cet endroit… Si je ne rêve pas, ce doit être Prince noir ! Eh bien, Prince, tu me reconnais ? Je suis le petit Joe Green qui a failli te tuer ! »

Il se mit à me couvrir de caresses. Je ne peux pas dire que je le reconnaissais, car c'était devenu un beau jeune homme à la moustache noire et à la voix adulte.

« Je me demande quel est le vaurien qui t'a cassé les genoux, mon vieux Prince ! Bon, à présent, ce ne sera plus de ma faute si tu n'es pas heureux. Comme j'aimerais que John Manly soit là ! »

Je découvris rapidement que Mlle Hélène était bonne conductrice. J'entendis Joe lui dire que j'étais certainement le vieux Prince noir de sir Gordon. « Je vais écrire à Mme Gordon pour lui dire que son cheval favori

« Eh bien, Prince, tu me reconnais ? »

Mes soucis ont pris fin, et je suis ici chez moi.

est chez nous ! » dit-elle.

J'habite cet endroit merveilleux depuis un an. Joe est le meilleur et le plus gentil des palefreniers. Les dames ont promis de ne jamais me vendre, aussi n'ai-je rien à craindre. Mes soucis ont pris fin, et je suis ici chez moi.

ANNA SEWELL

Anna Sewell est née dans un monde où les chevaux constituaient le moyen de transport principal. Avec le développement du chemin de fer, les chevaux ont plus été utilisés pour les petits trajets. Ils étaient indispensables – ce n'étaient pas des animaux de compagnie, ils travaillaient – et on les traitait souvent durement. En écrivant ce roman, Anna Sewell a attiré l'attention sur ces mauvais traitements.

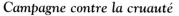

ANNA SEWELL

Née à Great Yarmouth, Anna Sewell (1820-1878) était encore bébé lorsque sa famille vint s'installer à Londres. Ses parents étaient des quakers, et la jeune Anna reçut une éducation religieuse stricte. Elle a aimé les chevaux très tôt. Elle a écrit Prince noir *à la fin de sa vie.*

Anna Sewell

À qui était destiné ce roman

Anna Sewell manifeste une profonde connaissance des chevaux et des gens avec qui ils travaillaient. C'est pour eux que ce roman a été écrit : valets, palefreniers et cochers. Mais les enfants l'apprécient également.

Cheval et valet

Premières éditions

La première édition date de 1877 ; elle remporta un grand succès. En 1890, l'ouvrage fut édité aux États-Unis, où un million d'exemplaires furent vendus. Depuis, *Prince noir* a fait l'objet de centaines de rééditions.

Illustration montrant lady Anna, édition de 1894.

Illustrations de Cecil Aldin, édition de 1912.

Campagne contre la cruauté

Anna Sewell n'était pas la seule à faire campagne contre la cruauté vis-à-vis des chevaux. La RSPCA (*Royal Society for the Prevention of Cruelty to Animals*, Société royale de prévention contre la cruauté envers les animaux) dénonçait les mauvais traitements des chevaux, et notamment l'utilisation de la fausse rêne.

Un vœu exaucé

Lors des funérailles d'Anna Sewell, un couple de chevaux portant des fausses rênes serrées vint prendre la dépouille mortelle, mais la mère de l'auteur exigea qu'elles leur soient ôtées. Au début du XXe siècle, l'utilisation des fausses rênes n'avait plus cours, si ce n'est dans les convois de pompes funèbres.

Chevaux noirs utilisés pour les enterrements

Prince noir   Merrylegs   Ginger

Best-seller

De nos jours, *Prince noir* a toujours autant de succès. Des adaptations pour le cinéma et la télévision ont été réalisées, et le roman a toujours la faveur des enfants et des adultes.

Les chevaux du film *Prince noir*, réalisé en 1994.

RSPCA

Les premières éditions de Prince noir ont été soutenues par la RSPCA, fondée en 1824. En 1914, cette société imposa un règlement qui interdisait le port de fausses rênes pour tout cheval tirant un véhicule. Le vœu le plus cher d'Anna Sewell fut ainsi exaucé.

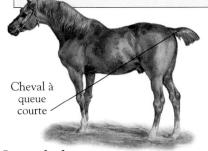

Cheval à queue courte

La mode des queues courtes

Anna Sewell s'éleva contre la mode des queues courtes. En effet, on coupait l'os de la queue pour empêcher les poils de la queue d'être trop longs.

Fausse rêne

Pour maintenir la tête du cheval relevée, on mettait deux mors, l'un pour la fausse rêne et l'autre pour la bride. Certains mors meurtrissaient la bouche de l'animal. De nos jours, les mors sont conçus de façon à ne pas blesser le cheval.

Mors modernes à barres d'acier doux

Œillères

Les œillères, encore utilisées aujourd'hui, empêchent le cheval de regarder de côté.

Œillères

À Londres, la tête des chevaux était relevée en arrière par des fausses rênes serrées.

Une vie difficile

Souvent, les gens maltraitaient leurs chevaux, par ignorance ou parce qu'ils étaient eux-mêmes dans la misère. De nombreux cochers de fiacre devaient faire travailler leur animal de longues heures pour pouvoir vivre.

LES CHEVAUX AU XXᵉ SIÈCLE

Propulsion mécanique

En 1880, l'invention du moteur amorça la fin de l'utilisation du cheval. Les voitures automobiles étaient souvent fabriquées et peintes par des fabricants de fiacres.

Prototype de voiture à roues et carrosserie en bois peint

Les chevaux de nos jours

La plupart des chevaux ne travaillent pas aujourd'hui.

Les chevaux sont encore employés à la campagne pour les travaux des champs.

Les chevaux sont souvent utilisés pour le sport et les loisirs.

Crédits photographiques

L'éditeur tient à remercier les personnes suivantes d'avoir donné leur autorisation pour l'utilisation de leurs photographies :

h = haut, b = bas, a = au-dessus,
c = centre, g = gauche, d = droite.

Bridgeman Art Library, Londres : Aberdeen Art Gallery and Museum 32cgb ; Christie's, Londres 9hdb ; City of York Art Gallery, York 43hc ; Gavin Graham Gallery, Londres 10hg ; Harrowgate Museums and Art Gallery 43cg ; Historisches Museum der Stadt, Vienne 52cg ; London Library, Londres 26hg ; Josef Mensing Gallery, Hamm-Rhynern 44bg ; Private Collection 29hd, 52hg, 63hdb ; Phillips the Auctioneers 9hd ; Sheffield Art Galleries 28hg ; The Maas Gallery, Londres 23bd ; Walker Art Gallery, Liverpool 38cg ; Weston Park, Shropshire 39cg.
Edifice : Philippa Lewis 18hg.
Mary Evans Picture Library : Back Flap hg, 18cg, 27hd, 32cg, 32bc, 35hd, 36bg, 44hg, 50hd, 53hd, 54cd, 54/55, 55cd, 55cb, 55bd, 56hg, 62hgb, 62c, 62cgb, 62bca, 62bc, 63cg.
Robert Harding Picture Library : 52bg.
Hulton Getty Picture Collection : 50bg, 54bg, 58bg, 59hd.
Kit Houghton : 35cd, 35bd.
Kobal Collection : 63bd.
Bob Langrish : 1c, 7(pleine page), 60hd.

London Transport Museum : 54hd, 55hg.
Mansell Collection : 54hg, 63hg.
John Mauger : 36hg.
National Trust Photographic Library : 33bd.
The Royal Mint, Llantrisant : 39hg, 43bc.
RSPCA Photo Library : 63hd.

Les chevaux suivants et leurs propriétaires : 19hd Avelignese – Noaner, Instituto Incremento Ippico Di Crema, Italie ; 19cd Saddlebred – Kinda Kostly, Kentucky Horse Park, États-Unis ; 30cl Connemara – Garryhack Tooreen, Mrs Beckett, Shipton Connemara Pony Stud, Royaume-Uni ; 39hd Frederiksborg – Zarif Langløkkegard, Harry Nielsen ; 39bg Percheron – Tango, Haras National de Saint Lô, France ; 42bg Westphalian – Sian Thomas BHSI, Snowdonia Equestrian Centre, Royaume-Uni ; 43cdb Thoroughbred – Lyphento, Conkwell Grange Stud, Avon ; 43bd Shire – Duke, Jim Lockwood, Courage Shire Horse Centre, Buckinghamshire.

Photographies supplémentaires : Andy Crawford et Gary Ombler du DK Photographic Studio ; Norman Hollands ; Sam Scott-Hunter ; Richard Leaney ; Alex Wilson ; Victoria Hall.

Illustrations supplémentaires : David Ashby, Roger Hutchins, Stephen Gjaypay, Sallie Alane Reason, Rodney Shackell.

PREMIÈRE ÉDITION
Achevé d'imprimer : mai 1998
Dépôt légal en France : juin 1998
Dépôt légal en Belgique : D-1998-0621-58

Imprimé en Chine
Printed in China